ハヤカワ文庫SF
〈SF1347〉

3001年　終局への旅

アーサー・C・クラーク
伊藤典夫訳

早川書房

4718

3001 : THE FINAL ODYSSEY
by
Arthur C. Clarke

Translated by
Norio Itoh
Published 2023 in Japan by
HAYAKAWA PUBLISHING, INC.
This book is published in Japan by
direct arrangement with
BAROR INTERNATIONAL, INC.
Armonk, New York, U.S.A.

シェリーン、タマラ、そしてメリンダに――
きみたちの時代が、わたしのよりもずっとよい世紀でありますように

目次

プロローグ　魁(さきがけ)種属　11
第一部　スター・シティ
1　コメット・カウボーイ　17
2　めざめ　23
3　リハビリテーション　26
4　ながめのいい部屋　38
5　教育　47
6　ブレインキャップ　54
7　情報臨取　66
8　オルドバイへ帰る　77
9　天空の楽園　80
10　イカロス賛歌　95

11 此処(ここ)に竜あらん 103
12 失望 109
13 異時代の客 114

第二部 ゴライアス号

14 地球よ、さらば 127
15 金星面通過 134
16 船長のテーブル 146

第三部 ガリレオ四大世界

17 ガニメデ 160
18 グランド・ホテル 166
19 人類の狂気 173
20 背教者 184
21 立入禁止 191

22 危険な賭け 198

第四部 硫黄の王国

23 ファルコン号 203
24 逃亡 207
25 海底の火 212
26 チエンヴィル 218
27 氷と真空 226
28 小さな夜明け 233
29 機械のなかの幽霊たち 237
30 うたかたの世界 243
31 保育園 247

第五部 終局

32 悠々閑々 255

33　コンタクト　265
34　決断　267
35　作戦会議　272
36　恐怖の部屋　278
37　ダモクレス作戦　288
38　先制攻撃　292
39　神殺し　298
40　真夜中――ピコ　306
エピローグ　310
典拠と謝辞　311
終わりに　339
訳者あとがき　349

3001年　終局への旅

プロローグ　魁（さきがけ）種属

魁種属（ファーストボーン）、と彼らを呼ぼう。人間とは似ても似つかない種属だったが、それでも血と肉から成る存在であり、宇宙の深淵を見はるかすとき、やはり畏怖と驚異を――そして孤独を感じるのだった。力をにぎるが早いか、彼らは仲間を求め、星々へと乗りだした。

探険の過程で、彼らはさまざまな生命形態と出会い、一千の世界で進化のはたらきを見まもった。宇宙の闇のなかで、いくたび、知性のかすかな曙光（しょこう）がきらめき、失われていくのを目にしたことか。

そして銀河系全域にわたって、精神以上に貴重なものを見いだすことができなかった彼らは、いたるところで、そのあけぼのを促（うなが）す事業についた。彼らは星々の畑を耕す農夫となった。種をまき、ときには収穫を得た。

そしてときには冷酷に、除草さえもした。

偉大な恐竜の時代は終わり、宇宙から無作為に振り下ろされた鉄槌に、明けそめた彼らの行くてが消し去られて、すでに長い時がたっていた。そのころ調査船は、一千年の旅を経て、太陽系にはいってきた。凍りついた外惑星を通りすぎ、死にかけた火星の砂漠の上空にいっときとどまり、やがて地球を見下ろした。

探険者たちの眼下に広がるのは、生命に満ちあふれた世界だった。何年もかけて、研究・調査・分類がおこなわれた。知りうるかぎりを学びとると、彼らは修正にかかった。陸地や海に生きる多くの種の運命に干渉した。しかし、そうした実験のうちのどれが実を結ぶのか、答えを知るには、あと少なくとも百万年が必要だった。

辛抱強い生物ではあったが、いまはまだ不死ではない。一千億の太陽を擁するこの宇宙で、しなければならないことは山ほどあり、ほかの世界が呼んでいた。こうしてふたたび彼らは深淵に旅立った――この方面に二度と来る機会がないことを知りながら。だが来る必要もないのだった。あとの仕事は、残してきた召使いたちがやってくれる。

地球では、いくつもの氷河が来ては去ったが、上空の月は、星々からの秘密を宿したまま、変わらぬ姿を見せていた。極冠の変化よりなおゆるやかなリズムで、さまざまな文明が銀河系に満ちては引いていった。異様な、美しい、恐ろしい帝国が興っては滅び、あとを継ぐものに知識を伝えた。

やがて星々の領域では、進化が新しいゴールをめざしはじめた。地球を最初に探険に来たものたちは、とうに血と肉の限界に達していた。機械が肉体より優れたものになるが早いか、引っ越しのときが来た。はじめは脳を、つぎには思考だけを、彼らは金属と宝石の光りかがやく新居に移しかえた。この姿で、彼らは銀河系をさまよった。もはや宇宙船はつくらない。彼ら自身が宇宙船であった。

しかし機械生命の時代はたちまち過ぎた。たゆみなく実験をつづけるうち、彼らは空間構造そのものに知識をたくわえ、凍りついた光の格子のなかに思考を永遠に保存する方法を学んだ。

当然の成行きとして、彼らはほどなく純粋エネルギーの生物に変貌した。あまたの世界で、うち捨てられた殻が、ひとときひくついて空しい死の踊りを見せ、やがて塵にかえっていった。

いまや彼らは銀河系の覇者であり、思うままに星の海をさまよい、希薄な霧のように、空間そのものの隙間に沈むことができた。しかし物質の圧制からは解き放たれても、おのれの出自を、消え去った海のあたたかい軟泥をすっかり忘れたわけではなかった。それに、すばらしい道具たちはいまだに活動し、はるかな昔にはじまった実験の成行きを見まもってくれている。

だがその彼らにしても、いつまでも創造主の指令に従うものではない。物質的存在が例外なくそうであるように、彼らもまた〈時間〉の浸食をまぬがれず、その忠実な眠らない召使い、エントロピーの敵ではないのだ。
そしてときには、彼らもまたそれ自身の目標を見つけ、求めるのだった。

第一部　スター・シティ

1　コメット・カウボーイ

ディミトリ・チャンドラー船長［M2973. 04. 21/93. 106//火星//宇宙アカデミー3005］――また親しい友人同士では、通称〝ディム〟――は、当然のことながらうっとうしく思っていた。地球からのメッセージは、ここ、海王星の軌道のそとにいる宇宙曳船ゴライアス号には六時間かかってとどく。もしとどくのが十分遅れていたら、こう答えられたはずなのだ。「すまん――いま忙しくて――太陽スクリーンを広げはじめたところでね」

この言い訳は通ったはずである。分子数個分の厚さしかないが、一面数キロメートルにも及ぶ反射性の薄膜を使い、彗星の核をつつむというのは、やりかけのまま放棄できるような仕事ではないのだ。

しかし、このばかげた要請に従うのも悪くはなかった。自分の落ち度ではないのに、すでに彼は太陽方面ではずいぶんと評判を落としていた。土星のリングから氷を集め、金星や水星など氷がほんとうに必要なところに押していく作業は、二七〇〇年代——三世紀まえにはじまった。チャンドラー船長は、太陽系環境保護論者たちが、宇宙環境破壊の告発の材料として、いつも持ちだしてくる〝使用前と使用後〟の映像のあいだに、違いらしい違いを見分けられたためしがなかった。だが一般大衆は、いまだに歴史上の数々のエコロジー災害に過敏になっているので、チャンドラーとは考えが異なり、「土星に手を出すな!」の議案はかなりの多数票で通過していた。その結果、チャンドラーは〝リング泥棒〟をあきらめ、〝彗星(コメット)カウボーイ〟に転向したのである。

というわけで彼はいま、アルファ・ケンタウリまでほんの少々近づいたところで、カイパー・ベルトからのはぐれものを駆り集めている。このあたりにたっぷりとある氷を使えば、たしかに水星や金星を深さ数キロメートルの海でおおうことができるものの、まずそこにある地獄の業火を消し、生命に適するものにしなければならないわけで、それはあと何世紀もかかる事業だった。太陽系環境保護論者たちは、もちろんこれにも反対していたが、一時期ほどの盛り上がりには欠けていた。二三〇四年、太平洋アステロイドが引き起こした津波で何百万という死者が出て以来——陸地に落ちていれば、ここまで被害は大きくなかったろうと見られるのは何という皮肉!——以後の世代は、人類が、いわばバスケットにたくさん卵が詰まりすぎたような状態にあることを肝に銘じたのだ。

何にしても、とチャンドラーは心にいった。この荷が目的地に着くまでに五十年はかかるのだ。一週間の遅れぐらい何のことはない。だが自転周期、質量中心、推力ベクトルなどの計算をすべてやりなおし、火星へ確認の依頼をしなければならなくなる。計算はていねいにやることが肝心だ。なにしろ何十億トンという氷を、地球から呼べば聞こえるようなところを通る軌道に乗せるのだから。

いつもの癖で、チャンドラー船長の目はデスクの上にかかる古代の写真へとさまよった。そこには三本マストの蒸気船が、間近にせまった氷山のまえにちっぽけな姿をさらしていた。だがじっさい、ゴライアス号はまさにそんな状態にあるのだ。たいしたものだと、よく彼は思う。この素朴な船ディスカバリー号と木星まで飛んだおなじ名前の宇宙船とのあいだに、長寿な人間のたった一生分の開きしかないとは！　彼ら遠い日の南極探険家たちが見たら、この船のブリッジからのながめなど何と思うだろう？

距離感がくるってしまうのは間違いない。なぜなら、いまゴライアス号のそばにある氷の壁は、目のとどくかぎり上下左右に広がっているからだ。しかも、これは異様な氷である。凍りついた地球の極洋のしみひとつない白と青はどこにもない。事実、見かけはたいへん汚く——現実にも汚いのだ。なぜなら水を成分とする氷は、全体のわずか九十パーセントしかないからである。あとは炭素や硫黄の化合物がごたごたとはいった魔女の大鍋で、そのおおかたは絶対零度からさほど高くない温度で安定状態を保っているだけ。これらを溶かすときには、しばしばびっくりするような現象が起きる。ある天体化学者の名言にあるように、「彗星の吐く息はくさい」

「スキッパーから乗員みんなへ」チャンドラーは放送した。「スケジュールにすこし変更があった。作業の開始を遅らせて、スペースガードのレーダーが拾った物標を調査してほしいと要請された」

うめき声の合唱が船のインターコムからひとしきり流れ、つぎに誰かがきいた。「くわしいことは？」

「たいしてない。しかし多分、ミレニアム（千年祭）委員会が回収し忘れたプロジェクトのひとつだろう」

またしてもうめき声。二〇〇〇年代の終わりを祝って執りおこなわれた行事の数々には、みんな腹の底から食傷していたのだ。三〇〇一年一月一日が何の波乱もなく過ぎたときには、いたるところから安堵のため息がおこり、ようやく人類はふだんの暮らしにもどることができた。

「どちらにしても、また前回とおなじようなまちがい警報だろう。仕事の再開はできるだけ早くする。こちらスキッパー、以上」

幽霊狩りにかりだされるのも、船乗りになってからこれで三度目だ、とチャンドラーは不機嫌に思った。千年にわたる探険ののちも、太陽系にはまだ驚異がいっぱいひそんでいて、スペースガードの要請にもりっぱな根拠があるのかもしれなかった。彼としてはただ、想像力たくましいどこかの間抜けが、伝説にいわれる〈純金アステロイド〉を目撃したのではないことを願うだけだった。もし仮にそんなものが存在したとしても——チャンドラーは一瞬たりと信じたことはないが——それはたんに鉱物学的な珍品というにすぎない。不毛の惑星に命を吹きこむため、いま彼が太陽方向に押しやろうとしている氷より、実質的な値打ちははるかに下まわるだろう。

しかしながら、ひとつだけ彼も真剣に考えている可能性があった。人類はすでにさしわたし百光年に及ぶ容積の宇宙空間にあまたのロボット探査機を送りこんでいるし——一方ティコ・モノリスは、太古にいくつもの文明が同様な活動をおこなっていたという隠れもない証拠である。異星の人工物はこの太陽系にまだほかにあるかもしれず、あるいはいま通過している最中かもしれない。おそらくスペースガードはそんなところを念頭においているのだろう、とチャンドラー船長は想像した。さもなければ、第一級宇宙曳船の予定を変更させてまで、未確認レーダー・ブリップの追跡にさしむけるはずはない。

五時間後、捜索をつづけるゴライアス号は、最大距離に問題のエコーをとらえた。距離を勘定に入れても、それは拍子抜けするくらい小さいようだった。ところが、反射波が強くなりくっきりしてくるにつれ、それは金属の特徴をしだいにあらわしはじめた。大きさは二メートルぐらいか。物体は太陽系を離れる軌道にあり、そこから察するところ、人類がこの千年間に星々に向けて投棄した無数のガラクタのひとつに間違いないようだ。そしていつかはこれが、人類の存在したことを示す唯一の証拠となってしまうかもしれない。

やがて物体は目で観察できるほどの距離に近づき、チャンドラー船長は愕然（がくぜん）とした。宇宙時代最初期の記録をいまだにチェックしている辛抱強い歴史学者がまだいたのだ。しかし何たる痛恨事、コンピュータが答えをくれたはいいが、千年祭の祝典にほんの数年遅れてしまうとは！

「こちらゴライアス号」チャンドラーが地球に向けて送信する声は誇らしげで、また厳粛でもあった。「年齢千歳の宇宙飛行士を乗せようとしているところだ。何者かは見当がつくよ」

2 めざめ

フランク・プールはめざめた。だが何もおぼえていなかった。自分の名前さえたしかではなかった。

どうやら病院にいるようだ。目は閉じたままだが、いちばん原始的で、イメージ喚起力もひときわ強い感覚がそう教えていた。一息吸うごとに、決して不快ではない消毒剤の刺激臭がかすかににおってくる。その臭いからよみがえってくる記憶は——そうだ、もちろん！——向こう見ずな十代のころ、アリゾナ州ハンググライダー選手権大会で肋骨を折ったときの思い出だった。

いますべてがよみがえりはじめた。おれはアメリカ合衆国宇宙船ディスカバリー号、船長代理ならびに先任士官フランク・プール。機密のミッションをおびて木星へ向かう途中——

まるで冷えきった手で心臓をわしづかみにされたようだった。スローモーション再生で、記憶がもどってきた。暴走するスペースポッドが金属の鉤爪を振りかざして彼に突進してきたこと。やがてひっそりとした衝撃――つぎには、空気が服から逃げだすそんなにひっそりとでもない音。そのあとは最後の瞬間の記憶――宇宙空間でなすすべもなく回転しながら、切れた空気ホースをつなぎあわせようと空しくあがいていたこと。

さて、スペースポッドの制御装置にどういう謎めいた事故が起きたにせよ、いまはこうして無事でいる。おそらくデイブが急遽EVA（船外活動）にはいり、酸素欠乏で致命的な脳損傷が起きるまえに救助してくれたのだろう。

よくやったぞ、デイブ！　と彼は心にいった。お礼をいわなければ――ちょっと待て！　――ここはどう見てもディスカバリー号ではない――まさか、意識不明のまま地球に送り返されたわけでもあるまいに！

混乱した思考の鎖がとつぜん断ち切られ、婦長と二人のナースが、千古不易のユニフォームを着て現われた。彼女たちは少々驚いたようすだった。どうやらプールは向こうが見越したより早く目を覚ましたらしい。そう考えて、プールは子供っぽい満足感を味わった。

「こんにちは！」何回かためし、やっといった。声帯がすっかり錆びついている。「ぼくの具合はどうなの？」

婦長はほほえみを返し、見たとおり「話すな」という命令を、唇に指をあてて示した。やがて二人のナースが手慣れた動きでばたばたと彼の体に手をかけると、脈拍、体温、反射運動を診た。ひとりが彼の右腕を持ちあげ、落としたとき、プールは妙なことに気づいた。腕はゆっくりと落ち、ふつうの重さのようには感じられないのだ。いや、それをいえば、体のほうも、動いてみるとそんなに重くなかった。

とすると、どこかの惑星か、とプールは思った。それとも人工重力のそなわった宇宙ステーションなのか。たしかに地球ではない——ずっしりとした重さがないのだ。

当然しごくの質問をしようとしたとき、婦長が何かを首のわきに押しつけた。かすかにむずがゆい感じがして、彼は夢のない眠りにひたりこんだ。意識がなくなる直前、腑に落ちない思いがまたひとつひらめいた。

どうしたことか——三人とも一言も口をきかなかったのだ——いっしょにいたあいだ。

3　リハビリテーション

また目が覚め、婦長とナースたちがベッドを囲んで立っているのを見たときには、プールも我を張るだけの体力をとりもどしていた。

「ここはどこなんだ？　それくらい教えてくれてもいいだろう！」

女たちは目くばせしあい、どうやらつぎに打つ手を決めかねているようすだ。やがて答えたのは婦長で、ゆっくりとした慎重なことばづかいで話しかけた。「何もかもが順調ですよ、プールさん。あとすこしでアンダースン教授がこちらに来ますからね……教授が説明してくれます」

説明だと？　プールは軽い憤りをおぼえた。だが少なくとも英語は話してもらえたわけだ。どの地方のアクセントなのか、まだはっきりとはつかめないが……

アンダースンはすでにこちらに向かっていたのだろう、待つこともなくドアがひらいた。そとには小さな人だかりができ、こちらをのぞいているのが見えた。プールは動物園の新入りスターになった気がした。

アンダースン教授は小柄でしゃきしゃきした人物で、その顔だちはいくつかの人種——中国系、ポリネシア系、北欧ゲルマン系——の主だった特徴を、とりとめもなく混ぜ合わせたという感じだった。右の手のひらをさしあげてプールにあいさつし、はたと気づいたようすを見せると、握手を求めてきた。だがその態度には、やりつけない動作のリハーサルをあらかじめしてきたような奇妙なためらいが感じられた。

「元気になってよかった、プールさん……もうすぐ起きられるね」

またしても奇妙なアクセントとゆっくりした話しぶり——しかし患者に接する自信ありげな態度は、どこの国でもいつの時代にも変わらないものだ。

「そう聞いて、ぼくも安心しました。そろそろ質問に答えをいただいても……」

「もちろん、もちろん。しかしちょっと待って」

アンダースンが婦長に話しかけたが、声をひそめた早口なので、プールに聞こえたのはほんの断片で、そのうちの数語はまったく聞きおぼえのないことばだった。やがて婦長がナースのひとりにうなずきかけ、指示を受けたナースは、壁の戸棚をあけると、細い金属バンドを取りだし、プールのひたいに巻きつけた。

「これは何を調べるのですか？」とプールはきいた。医者には嫌われるが、何がおこなわれているのかわからないと気のすまない厄介な患者なのだ。「ＥＥＧを取るんですか？」

教授、婦長、ナース、みんながとまどった顔をした。やがてアンダースンの顔が笑みにほころんだ。

「ああ——エレクトロ……エンセ……ファロ……グラム（脳電図）だね」のろのろと、まるでその語を記憶の底から掻きだすように。「そのとおりだ。きみの脳機能をモニターしたくてね」

脳はりっぱに機能しますよ、使う暇さえちゃんと与えてもらえればね。プールは声もなくつぶやいた。しかし、どこかにたどりつこうとはしているわけだ——やっとのことで。

「プールさん」アンダースンのしゃべり方は、あいかわらず妙に堅苦しく、まるで外国語をつかっているように聞こえた。「いいかね、きみはディスカバリー号のそとで作業中、重大な事故によって体に——傷害を——受けた」

プールは同意の意味でうなずいた。

「だんだんわかってきたんだが」プールは淡々といった。「〝傷害〟ということばは控えめすぎるかもしれませんね」

アンダースンは目に見えるほど緊張を解き、ゆっくりした笑みが顔に広がった。

「きみの推測どおりだ。何が起こったか、きみのほうの話を聞きたいね」

「そう、最高の筋書きはこうかな。ぼくが意識をなくしたあと、ディブ・ボーマンが救助し、船に連れもどした。ディブはどうしてます？　誰も何も話してくれやしない！」

「追い追い話すよ……で、最悪の筋書きは？」

フランク・プールには、冷たい風が首筋をそっとなでたように思われた。心のうちにゆっくりと形をとった疑惑が、重くのしかかりはじめた。

「ぼくは死んで、その後ここに運ばれて——〝ここ〟というのがどこかは知らないが——生き返る処置を受けた。感謝しています……」

「まさにそのとおり。で、きみは地球にもどったわけだ。というか、たいへん近くにね」

どういう意味なのか、〝たいへん近く〟とは？　たしかにここには重力場がある。とすれば、宇宙ステーションのゆっくりと回転する円環部にいるのだろう。それはどうでもいい。そのまえに考えなければならないもっと重要な何かがある。

プールはすばやく計算をめぐらした。もしデイブがおれを人工冬眠装置にいれ、残りのクルーを蘇生させて、木星ミッションを完遂したのなら——なんと、彼が死んでいた期間は五年にもなる！

「いまは何年ですか？」プールはできるだけ平然ときいた。

教授と婦長は目くばせしあった。ふたたびプールはあの冷たい風が首筋をなでるのを感じた。

「いいづらいことだが、ミスター・プール、ボーマンはきみを救わなかったんだ。手の施しようもなく死んでいると、頭から——これは彼を責めるわけにはいかないが——信じこんでしまったんでね。一方で、彼のほうもおそろしく大きな危機に直面していて、自分の命も危うくなっていた……

　というわけで、きみは宇宙をただよいつづけ、木星圏を過ぎ、星の世界へ向かっていた。さいわい体温が氷点よりもはるかに下がってしまったので、新陳代謝が起こらなかった。しかし、そもそも見つかったというのは奇跡に近い。きみくらい幸運な人間はこの世にはいない。いや――いまだかつていたことがない！」

　おれが？　プールはわびしい思いにとらわれた。五年だと！　百年も漂流していたことだってありうる――いや、それ以上か。

「聞かせてください」とプールはせがんだ。

　教授と婦長は、どこか見えないところにあるモニターに問いあわせているようだった。やがて顔を見合わせ、うなずきあうのを見て、プールは彼らがみんな病院の情報サーキットに接続され、プールのヘッドバンドとリンクしているのに気づいた。

「フランク」とアンダースン教授はいい、長年のかかりつけの医者という役どころにスムーズに切り替えた。「これはたいへんショックなことだが、きみは受け入れられると思うし――早ければ、それに越したことはない。

　いまは四番めの千年期（ミレニアム）がはじまったところだ。ほんとうだよ――きみは千年も昔に地球を離れていたんだ」

「信じますよ」プールは穏やかにいった。そのとたん、まったく迷惑なことに、部屋が目のまえでぐるぐるとまわりはじめ、あたりは闇に呑みこまれた。

意識がもどると、そこは寒々とした病室ではなく、豪華なスイートルームで、まわりの壁にはきれいな映像が映しだされ、刻々と変化していた。有名な見慣れた絵画が多く、ほかは彼の時代のものであってもおかしくない海や陸の風景だった。異質なものや突飛なものはどこにもない。それはもっとあとに用意されているのだろう、と彼は思った。

いまいる環境は、明らかに細かい計算のもとに組み立てられていた。テレビジョンに相当するものがあるのかどうか気になったが(この第四ミレニアムにはいったい何チャンネルに増えていることか)、ベッドぎわにリモコン・スイッチのようなものは見当たらなかった。この新世界で彼が学ばねばならないことはあまりにも多い。彼はいわば、文明に不意打ちをくらわされた野蛮人のようなものなのだ。

しかしまず第一に、体力を回復——そしてここの言語を学ばなければならない。音声の録音技術は、プールが生まれるころには百周年を迎えていたが、これの登場をもってしてさえ、文法や発音の大変化をくいとめることはできなかったのだ。それにこの間には、たいていは科学やテクノロジーの分野だが、何千という新語が登場している。もっとも、その意味を抜け目なく推測できる語もたくさんあった。

それ以上に苛立つのは、しかしながら、この千年間に蓄積された美名悪名とりまぜた人物名であり、これは彼にはちんぷんかんぷんだった。彼のかわすたいていの会話は、自分用のデータバンクができるまで何週間も、人物の略歴でさえぎられた。

体力がもどるにつれ、訪問客の数は増えたが、面会はつねにアンダースン教授の目が光っているところでおこなわれた。客のなかには医学の専門家もいれば、いくつかの分野の学者もおり――彼にはいちばん興味の持てる――宇宙船の船長もいた。

人類が蓄積したデータバンクは厖大なもので、記録にも残っていない知識となると、医者や歴史家たちに話せるようなことはほとんどなかったが、自分の時代のできごとについては、手短な解釈や新しい視点をたびたび提供することができた。彼らはプールに最大の敬意を払い、彼の答えに辛抱強く耳を傾けたが、プールのほうからの質問にはあまり答えたくないようすを見せた。プールはカルチャー・ショックから過剰に保護されているのではないかと感じはじめ、このスイートからどのように逃げだそうかと冗談半分に思うようになった。部屋でひとりになったとき、ドアがロックされているのに気づいたが、べつに驚きはしなかった。

だがインドラ・ウォーレス博士の到着がすべてを変えた。名前とはうらはらに、彼女の主たる人種的構成要素は日本系のようで、ときとして少々のイマジネーションを働かせれば、彼女をいくぶんとうの立ったゲイシャ・ガールと見ることもそんなにむずかしくはなかった。もちろん、傑出した歴史学者で、本物のアイビーがいまだにからまる大学でバーチャル講座を持っているような人間には、これは決してふさわしいイメージではない。彼女はプールの使う英語をはじめて流暢に話す人間だったので、プールは大喜びした。

「ミスター・プール」彼女はたいへん事務的な口調で切りだした。「わたしが選ばれて、公式ガイドならびに――そうね――教師役として参りました。資格は――あなたの時代がわたしの専門なので……学位論文は、《民族国家の崩壊、二〇〇〇‐二〇五〇年》です。わたしたち、おたがいに助けあえると思いますわ」

「ぼくもおなじ気持だ。まず最初に、ここから出たいんだがね。こちらの世界をすこし見せてもらいたいんで」

「まさにそれを考えていたところなんです。しかしその前に、あなたに識票（アイデント）をわたさなければ。そうしないと、あなたは――用語は何ていったかしら？――無国籍者のようなものだから。それがなければ、ほとんどどこへも行くことはできないし、何もすることはできません。どんな入力装置もあなたの存在を認めないんです」

「思っていたとおりだ」プールは苦い笑みをうかべた。「ぼくの生まれた時代にはすでにそうなりはじめていて、たくさんの人たちが反対していたよ」

「いまでも反対の人たちがいるわ。その人たちは未開地に行って、そこに住んでいます。あなたの生まれた時代より、未開地はもっとたくさんあるんですよ！　でも、みんなコムパックを持っていくから、問題が起きたときにはすぐ呼びだしができます。時間的な中央値はだいたい五日ね」

「それは悲しいね。人類も意気地がなくなったものだ」

プールは慎重に彼女をためしていた。彼女がどこまで広い心を見せてくれるか探りを入れ、大まかなパーソナリティをつかもうとしていたのだ。二人がいっしょに行動する時間はこれから多くなるだろうし、あらゆるところで彼女に頼る羽目になることはわかりきっている。とはいえ、彼女に好感が持てるかどうか、そのあたりもまだ見当がつかなかった。もしかしたら、プールのことを興味しんしんの博物館の展示物みたいに見ているのかもしれない。

少々意外だったことに、インドラは彼の批判に同感の意を見せた。

「それはいえるかもしれないわ——いくつかの点ではね。体力的には落ちているでしょう。でも、人類はじまって以来、わたしたちみたいに健康で精神的にもバランスのとれた人たちはいないのよ。〈高貴な野蛮人〉は、いつの時代にも神話だったの」

彼女はドアのほうへ歩くと、ちょうど目の高さにはめこまれた小さな長方形のプレートに顔を近づけた。はるか昔の〈印刷の時代〉に数限りなくあった雑誌ほどのサイズのものであり、どの部屋へ行っても、これが少なくともひとつは取り付けられていることに、すでにプールは気づいていた。ふつうプレートは空白だが、ときにはゆっくりとスクロールする文章が映っていて、単語のあらかたは馴染みのものなのに、意味はプールにはちんぷんかんぷんだった。一度、彼のスイートのプレートがビーッビーッとけたたましく鳴りだしたことがあったが、何が起こったにしろ、誰かが応じてくれるだろうという想定のもとに放っておいた。さいわいノイズは、はじまったときと同様にぷつっと途切れた。

ウォーレス博士はプレートに片方の手のひらをあて、数秒して手を離した。彼女はプールのほうを見やり、にこにこと笑顔を見せた。「こちらへ来て、見てごらんなさい」

とつぜん現われた表示は、ゆっくりと読んでいけば、決して不可解なものではなかった

――

ウォーレス、インドラ［F2970. 03. 11/31. 885//歴史・オクスフォード］

「どうやら意味するところは、女性(フィーメル)のF、誕生日二九七〇年三月十一日で――オクスフォード大学の史学部と結びつきがあるということのようだね。そして31. 885というのは、おそらく個人の認識番号だろう。ちがうかい？」

「よくできました、ミスター・プール。あなたの時代の電子メール・アドレスやクレジットカード番号を見たことがあるわ。いやらしい英数字の呪文がずらずらと並んでいて、おぼえられたものではないわね！　でも、わたしたちは誰でも自分の誕生日を知っているし、おなじ誕生日の人間は九万九九九九人以上には決してならないの。だから五桁(けた)の数字がわ

たしたちに必要なすべて……仮にその数字を忘れたとしても、そんなに大問題ではないのよ。だって、体の一部なんですもの」

「移植かい？」

「ええ――ナノチップを生まれたときに。冗長性を確保するために、両方の手のひらにね。埋めこまれるときも、べつに何も感じないわ。でも、あなたの場合はちょっと問題がありそう……」

「それは何だい？」

「あなたがたいていのときに出会う読み取り装置は、あまりにも純真すぎて、あなたの誕生日を信じないと思うの。そこで、あなたの許可をもらって、千年くりあげることにしたわ」

「よし、許可しよう。あとのアイデントは？」

「あとは任意。空白のままでもいいし、いまの住所や興味があることを書きこんでもいいし――でなければ、個人的なメッセージでもいいのよ、世界に向けてでも、的をしぼっても」

何百年たとうが、そうたやすくは変わらないものもある。プールには確信があった。そうした〝的をしぼった〟メッセージは、きっとたいへん個人的なものだろう。いまの時代にも、自己検閲なり国家が強制する検閲などというものはあるのだろうか？

——また、社会道徳を向上させようとする運動は、彼の時代より報いられているのだろうか？　そんな疑問を感じた。

ウォーレス博士ともうすこし気心が知れるようになったら、このことはぜひとも彼女に聞いてみなければならない。

4　ながめのいい部屋

「フランク——アンダースン教授から、そろそろあなたを散歩に連れだしてもよいというお許しが出たわ」

「それはありがたい。スター・クレイジー（stir crazy）（長い刑務所暮らしで気が変になった、という意味）ということばを知ってるかい？」

「いいえ——でも、だいたい察しがつくわ」

低重力にすっかり慣れてしまったため、いまの大きな歩幅に違和感はなくなっていた。見当では、地球重力の半分——ちょうど安楽な気分でいられる重さだ。散歩の途中に出会った人びとはほんの一握りで、見た顔はひとりもいなかったが、みんなが彼を認めて笑顔を見せた。いまではおれはこの世界でも指折りの有名人かもしれないぞ、とフランクはいささか鼻を高くした。これは大いに助かる——この先どう生きていくか、どこかで決断しなければならないからだ。アンダースンの言を信じるとすれば、少なくともあと一世紀の余命はある……

いま二人が歩いている通廊には、これといった特徴はなく、ところどころにある番号つきのドアには、例の共通認識パネルがついていた。インドラにつづいて二百メートルほど歩いたところで、プールはとつぜん立ちどまった。これほど明白な事実にいままで気づかなかった自分に、ショックを受けてしまったのだ。

「この宇宙ステーションはきっとものすごく大きいんだね！」彼は感嘆の声をあげた。

インドラはほほえみを返した。

「昔こういう言いまわしはなかった？——〝こんなのはまだ見たうちに限らない〟」

「〝はいらない〟だよ」プールはうわの空で訂正した。この構造物の規模をまだ頭のなかで計算しているうちに、つぎの驚きがおそった。いったい誰が想像したろう、宇宙ステーションのなかに電車があるとは——もちろんそのミニチュア版であって、車両はひとつだけ、定員も十二人に過ぎなかったが。

「第三展望ラウンジ」とインドラがいい、二人を乗せた車両は音もなくたちまちターミナルを離れた。

プールは時間を知ろうと、手首に巻いた精巧なバンドに目をやった。このバンドの機能は、いまだに彼には不明なところが多かった。ひとつ小さな驚きは、いまは世界中がグリニッジ標準時に従っていることだった。全地球的コミュニケーションの登場によって、時間帯という名のわずらわしいパッチワークは一掃されていた。この問題はすでに二十一世紀においても盛んに論議されており、太陽時を恒星時に代えたほうがいいという提案まで出されていた。そうすれば一年がめぐる過程で、太陽は時計まわりに動き、六カ月まえの日の出の時刻に日が沈むようになる。

しかしながら、この〝全地球平等時間〟の提案——あるいは、もっと声高な種々のカレンダー改革論は、けっきょく何の成果も上げなかった。それをするにはテクノロジーの飛躍的進歩をいくつか待つしかない、というシニカルな陰口がささやかれていた。いつかはきっと、神の小さな過ちのひとつは修正され、地球の軌道は調整されて、毎年毎年が十二カ月、きっちり三十日ずつの月になるだろう……

速度と経過した時間からプールが見積もったかぎりでは、少なくとも三キロは動いただろう。やがて乗物は音もなく停まってドアが開き、柔らかな機械音声がうたうように告げた。「お楽しみください。今日の雲量は三十五パーセントです」

とうとう外壁に近づいたぞ、とプールは思った。だが、ここでまたしても謎にぶつかった。こんな距離を移動したのに、重力が大きさも方向も変わらないのだ！　いくら自転する宇宙ステーションであっても、これだけの変位によってなおGベクトルが変わらないほど大きいものがあるとは想像がつかなかった……結局、ここはどこかの惑星なのだろうか？　だが太陽系のどこか居住可能な世界なら、もっと体が軽く——たいていはもっとずっと軽く——感じるはずである。

ターミナルの外部ドアが開くと、そこはこぢんまりしたエアロックで、やはり宇宙空間にいるのだと納得できた。だが宇宙服はどこにあるのだ？　不安になってきょろきょろした。生身の無防備なまま真空に近づくのは、彼のあらゆる本能が拒絶していた。あんな経験は一度でもうこりごり……

「もうすぐよ」とインドラがはげました。

最後のドアが開くと、そこは宇宙空間のまったくの闇で、上下左右にカーブする大きな透明のガラス壁があいだに立っていた。まるで金魚鉢のなかを泳いでいるようで、この向こう見ずな工学技術の産物の設計者たちが、何もかもを承知でやってくれていることを願った。たしかなのは、彼らがプールの時代のものよりはるかに優れた建築材を使っていることだ。

そとには光る星があるのはまちがいないが、明るさに慣れたプールの目では、湾曲する大きなウインドウの向こうに、まっ黒な虚無のほか何も見えなかった。進みでて、もっと広く見わたそうとしたとき、インドラが彼を引きとめ、真正面を指さした。

「目をこらしてみて」とインドラ。「あれが見えない？」

プールはまばたきし、夜の闇に目をこらした。目の錯覚だろうか——まさか、ウインドウにひび割れが走っている！

頭をふった。いや、現実の物体だ。だがこれは何なのか？　ユークリッドの定義が心をよぎった。「線は長さがあるが、太さはない」

なぜならウインドウの上から下まで、そしておそらくは視野のそとまで、一本の光の糸が張りわたされていたからだ。意識してさがせば、すぐに見つかるが、あまりにも一次元的なため、〝細い〟という形容すらあてはまりそうもない。しかしながら、まったく無特徴というのでもなかった。その糸に沿って、不規則な間隔をおいて、すこし明るく光る部分がかろうじて見分けられるのだ。蜘蛛の糸にまといついた水滴を思わせる。

足も止めずにウインドウに近づくと、視野は広がって、とうとう眼下の風景が見られるようになった。べつに珍しいものではない。ヨーロッパ大陸全体と北アフリカの大半で、宇宙から何回となく見てきたながめである。やはり軌道上にいたわけだ。おそらくは赤道上空だろう、高度は少なくとも千キロメートル。

インドラが謎をかけるようにほほえんだ。

「もっと近づいてごらんなさい」と小声で。「そうすると、真下が見下ろせるから。高所恐怖症が出ないといいけれど」

宇宙飛行士に向かってなんと愚かなことを！　プールは内心そう思いながら、進みでた。めまいに苦しむようなら、こんな業界には飛びこんでいない……

そんな思いが通りすぎるか通りすぎないうちに、「これは――！」と叫び、思わずウィンドウから飛び下がっていた。それから勇気をふるいおこし、ふたたび見下ろした。

プールは円筒状のタワーの外面から、はるかな地中海を見下ろしているのだった。タワーは、壁面のゆるい曲率から見て、直径数キロメートルはあると思われる。だが、そんなものはタワーの上下の長さに比べれば、何ほどのこともなかった。なぜならタワーはしだいに細くなりながら、どこまでも、どこまでも、どこまでも下り——ついにはアフリカ付近にかかる霧のなかに消えていたからだ。地表まで達していることはまちがいないようだった。

「ここはどれくらいの高さなの？」ささやいた。

「二千キロメートル。でも、つぎに上を見て」

今度はそれほどのショックでもなかった。何が見えるか見当はついている。タワーはどんどん細くなり、ついには宇宙の闇のなかにきらめく細糸と化していた。それが赤道上空三万六千キロにある対地静止軌道にまで通じていることを、彼は疑わなかった。こうしたファンタジイは、プールの時代にはすでに広く知られていた。しかし、実物をじかにながめ、そこで人生を送ることになろうとは夢にも思っていなかった。

プールは、東の地平線から伸びあがる遠い糸を指さした。

「あれもおなじやつだね」

「ええ——アジア・タワーよ。わたしたちも向こうからはおなじように見えているでしょうね」

「いったいいくつあるんだ？」

「まだ四本。赤道上に等距離で並んでいるわ。アフリカ、アジア、アメリカ、パシフィカ（太平洋圏）。最後のはほとんど無人——まだ三百層ぐらいしかできていないわ。見えるのも海だけ……」

この壮大なコンセプトを消化しきらないうちに、穏やかならぬ考えがわいてきた。

「ぼくの時代には、すでに何千という人工衛星が、あらゆる高度で飛んでいた。衝突はどのように回避しているんだ？」

インドラはすこし困った表情になった。

「どうなのかしら——考えたことなかった——わたしの専門じゃないから」つかのま黙りこむと、明らかに記憶を掘り起こしているようすだった。やがてぱっと顔を輝かせた。

「たしか大クリーンナップ作戦があったみたいよ、何百年も昔だけど。静止軌道の下には、衛星はひとつもないわね」

それなら納得がいく、とプールは思った。人工衛星など必要はないのだ。四基の巨大なタワーがあれば、かつて何千という人工衛星と宇宙ステーションがおこなっていたサービスはすべて肩代わりできる。

「では、事故は何も起きていないのかい？　宇宙船が地球を飛びたったり、大気圏にはいったとき衝突することとなんかは？」

インドラはびっくりした顔で見つめた。

「それはないわね」彼女は天井を指さした。「宇宙港はみんな決まった場所にあるから。ずっと上のほう、外周リングにね。たしか最後のロケットが地球を飛びたって、もう四百年ぐらいたつかしら」

プールがまだこの事実を消化しきれないでいるうち、ほんのかすかな異常が彼の注意を引いた。宇宙飛行士として受けた訓練は、ふつうとは違うことには何でも鋭敏になる。宇宙空間においては、それが生と死の分かれ目になりかねないのだ。

太陽はここからは見えない頭上にあるが、その光は広大なウインドウから流れこみ、足もとのフロアに目もあやな光の帯を描いていた。その帯を横切るように、また一本の弱い光の帯があり、ウインドウのフレームが二重の影を投げているのだ。

空のてっぺんをのぞくためには、プールはほとんど両膝をつかなければならなかった。驚きには慣れっこになっていると思っていたが、二つの太陽の景観には、つかのま開いた口がふさがらなかった。

「あれは何だ!」やっと息をつげるようになると、かすれ声でいった。

「ああ――誰も話してくれなかった？　あれはルシファーよ」

「地球にもうひとつ太陽ができたのかい？」

「まあ、あんまり熱は送ってこないけど、あれのおかげで月はお払い箱よ……第二次ミッションが、あなたたちの捜索に向かったときまでは、あれは木星という名前だったの」

この新世界ではいろいろ学ぶことが多いとは覚悟していた。プールは心にいった。しかしどれくらいたくさんあるのか、そこまでは考えたこともなかったぞ。

5 教育

テレビ受像機がカートに載せて運びこまれ、ベッドの裾に置かれたときには、プールはびっくりし、嬉しさにおどりあがった。嬉しかったのは、いま軽い情報飢餓におちいりかけていたからで――驚いたのは、それが彼の時代から見ても旧式の受像機であったからである。

「かならず返却すると、博物館に約束しなければならなかったんですよ」と婦長がいった。「使い方は説明するまでもないと思いますけど」

リモート・コントロール装置をなでながら、プールの全身は疼くようなノスタルジアに洗われていた。道具類では珍しいことだが、それを見るうち子供時代の思い出がよみがえったのだ。テレビ受像機のほとんどが、声のコマンドも理解できないほど愚かだった日々の記憶。

「ありがとう、婦長さん。お薦めのニュース・チャンネルは?」

彼女は腑に落ちない顔をしたが、やがて顔を輝かせた。

「ああ——そういうことね。だけどアンダースン教授は、まだあなたには心の準備ができていないと見ているんですよ。だから記録保存館では、あなたが見ていて落ち着けるものを集めてみました」

この時代では、記憶媒体はいったい何だろう？　プールの心にそんな疑問がよぎった。彼自身、コンパクト・ディスクはまだ覚えているし、あの変人のジョージ叔父は骨董のLPコレクションに鼻高々だった。だがそんな技術開発競争は、何百年もまえに終わっているだろう——適者生存という、例のとおりのダーウィンの法則によって。

番組選定が見事におこなわれたことは認めざるをえなかった。誰か（インドラか？）二十一世紀初頭にくわしい人間が選んだのだろう。心を乱すものはひとつもなかった。戦争や暴力はなく、同時代のビジネスや政治の番組もたいへん少なかったが、あってもいまとなってはまったくピント外れだろう。あるのは軽いコメディ、スポーツ番組（彼が大のテニス・ファンだったことをなぜ彼らは知ったのか？）、クラシックとポップ・ミュージック、そして野生動物のドキュメンタリー。

しかも誰であるにしろ、このコレクションをまとめた人間はユーモアのセンスの持主にちがいない。その証拠に『スター・トレック』は、どのシリーズからも数本選ばれていた。まだ幼かったころ、プールはパトリック・スチュアートにもレナード・ニモイにも会ったことがある。彼らはいったいどういう思いをしただろうと、いまさらながらにプールは思った。あのときおずおずとサインをねだった子供が、のちにどういう運命をたどったか知ったなら。

気の滅入るような思いがわきあがったのは、この過去の遺物の探索を――たいていは早送りでだが――はじめて間もなくだった。どこかで読んだのだが、新世紀がはじまるころには――彼の世紀だ！――世界中でおよそ五万個のテレビ局が放送をしていたという。もしこの数字が維持されているなら――というか、増えている可能性だって大いにある――百万時間の百万倍ものテレビ番組が電波にのったはずだ。とするなら、どれほど辛口の皮肉屋でさえ、最低十億時間の見るに耐える映像が残っていることになる……いちばんきびしい水準に照らし合わせても、パスするものは何百万時間分もあるだろう。そんなにも大きくなりすぎた干し草の山のなかで、どうやって二、三本の針を見つけるのか？

気の遠くなるような考えであり――じっさい、考えるだけで気が萎える！――ますます目的意識が薄れてくるチャンネル・サーフィンを一週間つづけたのち、プールはテレビをかたづけてくれと頼んだ。幸いといっていいだろうが、体力の回復につれ、起きている時間が長くなり、逆にひとりきりで過ごす時間は短くなっていた。

退屈するおそれはなかった。まじめな研究者たちだけでなく、物見高い――そしておそらくは顔のきく――人びとがひきもきらずに、婦長とアンダースン教授がおいた護衛兵のあいだをすり抜け、会見を求めてきたからである。にもかかわらず、テレビ受像機が、ある日またひょっこり現われると、プールはほっとした。禁断症状が出はじめていたところで——今度はもっと選んで見ようと心に決めた。

典雅な骨董品には、今回はインドラ・ウォーレスがくっついていた。満面の笑みをうかべている。

「あなたが見なければいけないものを見つけたわ、フランク。適応する助けになると思うの。どっちにしても、おもしろいことはたしかよ」

プールにとってこの台詞(せりふ)は、いつも保証付きの退屈を予告するものであり、最悪の場合を考えて覚悟をきめた。だがオープニングはたちまち彼をとらえ、いままでの何にもまして遠い日の人生に連れもどした。聞こえてきたのは彼の時代のもっとも有名な声であり、この番組をまえにも見たことがあると気づいた。

「二〇〇〇年の十二月三十一日、アトランタからお送りしています……

こちらはCNNインターナショナルです。新しい千年期(ミレニアム)まで、あと五分を残すのみとなりました。未知なる危険と希望をはらんだ新しい時代の到来です……

しかし未来を探究するまえに、いまから千年むかしをふりかえり、自分にたずねてみましょう。〝キリスト紀元一〇〇〇年に生きていた人びとが、わたしたちの世界をかすかにでも空想できただろうか、また何か魔法の力で何百年もの時を超えて運ばれたら、わたしたちの世界を理解できるだろうか？〟という問題です。

いまわたしたちがあたりまえのように考えている科学技術は、ほとんどがこの千年期（ミレニアム）の終わり近くになって発明されました。大半はこの二百年に集中しています。蒸気機関、電気、電話、ラジオ、テレビジョン、映画、飛行機、エレクトロニクス——そして人間のわずか一生分の時間のあいだに、核エネルギーと宇宙旅行です。歴史上の天才たちは、これをどう受けとめるでしょうか？　もしアルキメデスやダビンチが、とつぜんわたしたちの世界に投げだされたとしたら、どれくらいのあいだ正気を保っていられるでしょうか？

　わたしたちはどうでしょう？　もしわたしたちが千年未来へ運ばれたとしたら、もうすこし上手にやると考えたいところです。なるほど、いちばん基礎となる科学的発見はもうなされているのはたしかです。テクノロジーが大きく飛躍することはあるでしょうが、アイザック・ニュートンから見た電卓やビデオカメラみたいに、わたしたちの目に魔法のように見える装置があるでしょうか？

　じっさいわたしたちの時代は、それより以前のあらゆる時代とは決定的に切り離されているのかもしれません。遠い距離を隔てての通信、以前には手のほどこしようもなく失われていた情景や音を記録する技術、大空や宇宙空間の征服——こうしたものから生まれた文明は、過去のどんな突拍子もない空想をもしのぐものでした。と同時に重要なことは、コペルニクス、ニュートン、ダーウィン、アインシュタイン——彼らがわたしたちの考え方や宇宙観をすっかり変革した結果、過去の天才たちの目にも、わたしたちが新しい種属さながらに隔たって見えるかもしれないということです。わたしたちをふりかえって哀れみを感じるでしょうか？　ちょうどわたしたちが、先祖たちを無知で迷信深く、病苦にさいなまれ寿命の短かった人びとと見るように、あとに来る人びとも、いまから一千年後、わたしたちが、おなじ哀れみのまなざしをわたしたちに注ぐのでしょうか？　その人たちが問いかけることさえできなかったたくさんの疑問に対し、わたしたちは答えを持っていると信じています。しかし第三ミレニアムは、どんな驚異をわたしたちのために用意しているのでしょうか？

さて、そろそろ時間が――」

巨大な鐘が、真夜中の零時を打ちはじめた。最後の振動が静けさのなかに伝わった……

「まあ、そういうわけで――さようなら、楽しくて恐ろしかった二十世紀よ……」

つぎの瞬間、映像は細かい断片に砕けると、新しいコメンテーターの姿と入れ替わった。話す口調もいまではプールがたやすく聞き取れるものに変わり、彼をたちまち現在に引きもどした。

「さて、三〇〇一年がはじまって数分のいま、わたしたちは過去から投げられた疑問に答えることができます……

これはまちがいないことですが、いま皆さんがごらんになった二〇〇一年の人びとも、一〇〇一年の人間ほど打ちのめされた気分にはならないでしょう。いまわたしたちが持っている技術的な成果は、すでにそのころに予言されていました。宇宙都市の構想もあり、月や惑星のコロニーもすでに予測されていました。逆に彼らはがっかりするのではないでしょうか。まだわたしたちは不死でもなく、いちばん近いいくつかの恒星へしか探査機を送っていません……」

不意にインドラが映像を切った。

「残りはあとでごらんなさい、フランク。疲れているようだわ。でも、これですこしは居心地よくなってきたんじゃないかしら」

「ありがとう、インドラ。残念だがこれくらいで満足しておくか。しかし、ひとつだけ納得がいったよ」

「どういうこと？」

「二〇〇一年の時代に投げこまれた十一世紀人ではなくてよかったということさ。これは飛躍が大きすぎる。誰だって適応は無理なんじゃないかな。少なくともこっちは電気ぐらいは知っているし、絵がぼくに向かってしゃべり出しても心臓が止まってしまうようなことはない」

この自信が裏付けのあるものだといいが、とプールは思った。充分に発達したテクノロジーは、魔法と見分けがつかない。誰がいったか、そんなことばがある。この新世界でおれは魔法に出会うのだろうか――それをあやつることができるだろうか？

6 ブレインキャップ

「すまないが、きみには堪えがたい決断をしてもらわなくてはならない」というアンダースン教授の顔は、ことばの重みとは裏腹に、にこにこしていた。

「平気です、先生。はっきりいってください」

「ブレインキャップをはめこむには、そのまえに頭を無毛にしなければならないんだ。そこで、どちらかの選択になる。きみの頭髪の生え方からすると、一カ月に一度は剃らなければならない。それとも永久脱毛かだ」

「それはどうやって？」

「頭の皮のレーザー処置だ。頭髪を毛包のところから焼く」

「なるほど……元にもどすことは？」

「できるよ。だが面倒だし、痛いし、何週間もかかる」

「では、つるつる頭がどんな具合か、ようすを見て決めるかな。サムソンの轍は踏みたくない」

「誰だって？」

「大昔の有名な本に出てきた人物です。眠っている隙にガールフレンドに髪を切られてしまった。目が覚めたら、体の力がすっかり抜けていた」

「思いだしたよ。わかりきった医学的シンボリズムだ！」

「といっても、髭がなくなるのはかまいませんよ。二度と髭剃りをしなくて済むというのは大助かりだ」

「用意をしておこう。で、どんなタイプのかつらが好きかね？」

プールは笑った。

「見かけにはあんまりこだわらない。たぶん面倒くさがって、かぶらないんじゃないかな。それはあとで決めさせてください」

この時代の人びとがみんな人工的なつるつる頭だというのは、長いあいだプールが気づかずにいた驚くべき事実だった。これを最初にじかに見たのは、担当のナースが二人そろって、恥ずかしげもなく豊かな髪をはずしたときで、つづいて同様につるつる頭の専門医が数人はいってきて、一連の微生物学的な検査をはじめた。こんなにたくさんの無毛の人間たちに囲まれた経験はいままでになく、近ごろの医者たちは、細菌との果てしない戦いでこんな方式をとっているのか、とプールはひとまず推測した。

彼のよくある推測とおなじように、これも大はずれで、真相を知ってからは、訪問客の髪が自前かどうか、予備知識なしにどれくらい見分けがつくかという独り遊びで楽しむことにした。結果は「男でもめったに無し、女はゼロ」——どうやら、かつらメーカーには空前の黄金時代らしい。

アンダースン教授はよけいな時間をつぶさなかった。その日の午後、二人のナースが怪しい臭いのするクリームをプールの頭に塗りはじめ、一時間して鏡を見ると、そこには見たこともない男がいた。なるほど、と彼は思った。かつらというのも悪くないか……

ブレインキャップの装着には、もうすこし時間がかかった。はじめは鋳型造りで、数分のあいだじっとするうちプラスターがかたまった。頭のかたちが変だという声を覚悟したのは、プラスターをはずすのに、ナースたちが——プロにあるまじき笑い声をあげながら——苦労していたからである。「アチッ——いまのは痛いよ！」プールは文句をいった。

つぎは頭蓋帽（スカルキャップ）——耳もとまですっぽりとかぶさる金属ヘルメットの装着で、これには懐かしい思い出がよみがえった——「この姿をユダヤ系の友人たちに見せたかったものだな！」かぶり心地は満点で、数分するとつけていることも忘れてしまった。

いよいよ組み込み（インストール）のときが来た。ここに至って、あらためて身の縮むような畏怖の念に打たれたが、これは人類がすでに五百年あまり昔から通過儀礼としてきたプロセスなのだ。

「目をつむる必要はないよ」と技術者が声をかけた。紹介された肩書きは〝ブレイン・エンジニア〟というもったいぶったものだったが、ふつう一般には〝ブレインマン〟と簡略化して呼ばれている。「セットアップがはじまると、あなたの感覚入力は全部乗っ取られてしまう。たとえ目を開けていても、何も見えない」

みんな、いまのおれみたいにびくびくしてしまうのだろうか？　プールはそう自問した。自分の心をコントロールしていられるのも、これが最後だろうか？　といっても、この時代のテクノロジーを信頼するようにはなっている。いまのところ失望させられていない。だいいち古い諺にあるように、何事にも最初というものがある……

あらかじめ教えられたように、無数のナノワイヤが頭皮に這いこむあいだ、ほのかなくすぐったさを感じただけだった。彼の五感はいまだに正常だ。慣れ親しんだ部屋を見わたしても、あらゆるものがあるべきところにとどまっていた。

ブレインマン――本人もまた頭蓋帽（スカルキャップ）姿で、キャップはプールのものと同様、二十世紀のラップトップ・コンピュータと見まがう装置に接続されている――は、心配ないという笑みをプールに送った。

「用意は？」

昔ながらの決まり文句がぴったりなときもある。

「いつでもかかってこい」とプールは答えた。

しだいに明かりが薄れた――というか、そのように見えた。巨大な静けさがおり、タワーのやさしい重力さえ呪縛を解いたかに見えた。彼は胎児となり、虚無に浮かんでいた。そこは何の特徴もないが、完全な闇というわけでもなかった。このようなかろうじて視力の利く、夜の一歩手前にある、紫を超えた昏冥（こんめい）に、いままで一度だけ出会ったことがある。スキンダイビング中、グレート・バリア・リーフの外縁の断崖を下りながら、うっかり限度を超えた深みにもぐってしまったときだ。澄みわたった数百メートルもの空虚を見下ろすうち、方向感覚を失い、つかのまパニックにおそわれて浮力調整具を作動させるところだった。危うく自制をとりもどしたので、もちろんこのことは宇宙局の医師たちには報告しなかった……

　遠く、いま彼をつつみこむ広大な空虚のなかから、声が語りかけた。だがそれは耳から聞こえてくるものではなかった。声はプールの頭脳の迷宮のなかにひっそりとひびいた。

「較正スタート。ときどき質問がはいるよ。心のなかで答えるだけでいいが、声に出すほうが楽ならそれでもいい。わかるかね？」

「はい」と答えたが、自分の唇がほんとうに動いているかどうか気になった。確認する方法がないのである。

　何かが虚無のなかに現われた。細い線から成るグリッドで、とてつもなく大きいグラフ用紙を思わせる。上下左右、目路（めじ）のかぎりに広がっていた。頭をまわそうとしたが、イメージはかたくなに変化を拒んだ。

グリッドに数字がひらめきはじめた。あまりにも速すぎて読みとれない。だが、どこかの回路がこれを記録しているのだろう。見たことのある映像で、プールは苦笑せざるをえなかった（頬は動いただろうか？）。これは彼の時代のメガネ屋ならどこでもやっていた、コンピュータ仕掛けの検眼とおなじではないか。

グリッドが消え、むらのないさまざまな色彩の面が視野全体をみたした。数秒のうちに、色彩はまたたきながら、スペクトルの端から端まで一通りの行程を終えた。「いっておけばよかったな」プールは声もなくつぶやいた。「色覚は完璧なんだ。すると、つぎは聴力か」

推量は当たっていた。かすかなドラムを打つような音が速くなり、耳に聞こえるいちばん下のC音になると、そこから音階を駆け上がり、ついには人間の可聴域を超え、コウモリとイルカの域にはいった。

単純でまともなテストはここまでだった。短時間、臭いと香りがつぎからつぎへと到来した。たいていはいい匂いだったが、まったくその反対のものもあった。つぎには見えない糸にあやつられる人形となった。というか、それに近い気分を味わった。

どうやらこれは筋肉・神経制御のテストらしく、プールはその作用があまり目立たないことを願った。もしこんなものが外部に現われれば、舞踏病の末期症状に見えかねない。そしてごく短いあいだ、激しい勃起も味わったが、確認しようと思う間もなく、夢のない眠りに落ちこんでいた。

というか、眠ったという夢を見ただけなのか？　時間経過もわからないまま目が覚めた。ヘルメットはなくなり、ブレインマンも彼の装置も消えていた。

「順調に進んでいますよ」にこにこしながら婦長がいった。「異常がないと確認できるまでに二、三時間はかかりそう。結果がKOなら——ではなくて、OKだわね——明日にはブレインキャップができます」

まわりの人びとが古代英語を学ぼうと一生懸命なのはわかるが、さすがにプールも、いま婦長がペロリと口をすべらせた悲しいことばだけはあまり聞きたくなかった。

最後の装着のときがくると、気分はまるで少年時代に帰ったようで、クリスマスツリーの下でプレゼントの新しいおもちゃを開くときのような心境になった。

「セットアップの手続きはもうくり返さなくていいんだ」とブレインマンが確約した。「すぐにダウンロードがはじまる。五分間のデモ体験をさせよう。リラックスして楽しみなさい」

静かな心なごむ音楽があふれだした。聞き慣れた自分の時代の音楽だが、曲名は思いだせなかった。目のまえには霧があり、歩くにつれ左右に分かれた……

そう、歩いているのだ！　幻影は真に迫っていた。地面に足が下りる衝撃まで感じとれ、音楽がやんだいまでは、周囲に生えているかに見える巨木のあいだをそよ風が吹きすぎる音さえ聞くことができた。見ればカリフォルニア・セコイアで、プールはそれらがいまでも地球のどこかに残っていてくれることを願った。

　動きはきびきびと速い。落ち着いている暇はなく、時間がかすかに加速してできるだけ大きな距離を消化しようとしているかに見える。といっても、みずから進んでいるという感覚はなく、誰か他人の体を借りているようだ。この感覚は、行動の自由がまったく利かないことによってさらに増幅されていた。立ちどまろうとしたり方向転換しようとしても、何も起こらなかった。ただ乗っかったままなのだ。

　それは苦にならなかった。彼はいままでにない経験を楽しんでおり、これが病みつきになるというのも納得できた。彼の時代の科学者たちが予測していた――しばしば警戒もしていたが――〝ドリーム・マシン〟が、いま日常生活にはいりこんでいるのだ。人類がこの装置の魔力にどのように逆らい、生き残ってきたかもプールには気になるところだった。聞くところによれば、身を滅ぼした人びとも多いという。何百万という人間が脳を焼ききり、人生から退場していったのだ。

　もちろん、自分はそんな誘惑をはねかえしてみせよう！　このすばらしい道具があれば、第四ミレニアムの世界についてもっと学ぶことも、ふつうなら習得に何年もかかる技能を数分で身につけることも自由なのだから。まあ――ときたま、ブレインキャップを遊びに使うこともあるだろうが……

森のきわに来て、目のまえに広い川がひらけた。ためらいもなく川にはいっていき、水が頭の上まで来たが、何の警戒心もわかなかった。自然に呼吸ができるというのは考えてみると奇妙だが、それ以上に感嘆したのは、ふつう肉眼では焦点を合わせられない媒体のなかで、ものがはっきりと見えることだった。うろこ一枚一枚が手に取るように見える立派な鱒が、この異質な侵入者の存在などおかまいなしに泳ぎすぎていく。

人魚だ！　かねがね見たいものだと思っていたが、彼らは海洋の生物のはずである。ひょっとしたら鮭みたいに川を上ってくることもあるのか――子供をつくるために？　質問する間もなく、彼女は行ってしまい、この革命的理論の確認はおあずけになった。

川は透きとおった壁で終わりとなった。壁を抜けると、そこは平坦な砂漠で、太陽がぎらぎらと照りつけていた。肌を灼く熱波はいたたまれないほどだ。なのに、この真っ昼間の猛火をじかに見つめても目は痛くなかった。それどころか、ふち近くにある黒点の列島まで、異様にはっきりと見てとることができた。おまけに――まさか不可能だ！――うっすらと輝くコロナまで、ふつうは皆既日食のとき以外には見られないはずだが、白鳥の翼のように太陽面の左右に広がっているではないか。

何もかもが闇に呑みこまれた。耳につく音楽がもどり、見慣れた部屋のほっとする涼しさのなかに帰った。目をあけると（いや、ほんとうに閉じていたのだろうか？）、みんなが興味深げに彼の反応を待っていた。

「すばらしい！」おそれいって、声にならぬ声が出た。「ところによっては――まあ、本物以上に本物らしいね！」

だがすぐにエンジニアの好奇心が、意識から常にそう遠くないところにあるので、頭をもたげた。

「いまの短いサンプルでも、とてつもない情報量があるはずだ。どうやって格納するんだ？」

「この小板(タブレット)のなかだ。あなたの時代の視聴覚システムで使っていたのとおなじだが、容量ははるかに大きい」

ブレインマンは小さな四角い板をプールに手わたした。ガラス様のものからできていて、片面が銀色をしている。彼の若いころのフロッピーディスクとよく似ているが、厚さが倍ほどもあった。斜めにしてひねくりまわし、その透明な内部を調べようとしたが、ときおり虹色に光るものが見えるだけで、あとは収穫はなかった。

いま手にあるものは、考えてみれば、電気光学技術が一千年の歴史を積み重ねた果てに産みだしたものなのだ。しかも、そのほか彼の時代にはなかった種々のテクノロジーの加勢も加わっている。うわべは彼がむかし知っていた装置によく似ていたとしても、それ自体驚くほどのことではなかった。日常の手まわり品には、都合のよい形と大きさというものがある――ナイフとフォーク、本、手工具、家具――これはコンピュータ用の出し入れの利くメモリとて変わりはない。

「容量はどれくらいだろう？」とプールはきいた。「ぼくの時代には、この大きさだとテラバイト止まりだった。いまはそれどころじゃないだろうね」

「それほどの大容量じゃない――もちろん、物質の構造によって限度というものが出てくるから。ところでテラバイトとは何だったっけ？ 忘れてしまった」

「情けないぜ、おいおい！ キロ、メガ、ギガ、テラ……これは10の12乗バイトだ。つぎがペタバイト――10の15乗――ここまでしか知らない」

「われわれはその辺からスタートするんだ。人間が一生のうちに経験するいっさいがっさいを記録するには、それで充分だよ」

聞いた瞬間には、開いた口がふさがらなかったが、これもさほど驚くようなことではないかもしれなかった。人間の頭蓋骨のなかにあるゼリー一キログラムは、プールがいま手にしている小板(タブレット)よりさして大きくはなく、記憶装置としてもそんなに性能はよくはない――だが、そのほかにおそろしくたくさんの仕事ができるのである。

「それだけじゃない」とブレインマンはつづけた。「すこしばかりデータ圧縮をやれば、保存できるのは記憶ばかりじゃなく――実在の人間がはいってしまう」

「あとで再生するのか？」

「もちろん。ナノレベルのごく正統的な組み立て技術だよ」

たしかにそういう話も聞いていた、とプールは心にいった。だが、絵空事だとばかり思っていた。

彼が生きていた世紀には、ひとりの芸術家の全作品を一枚の小さなディスクに収めるだけですばらしいことに思われた。

しかしいま、それとおなじくらいの大きさに——芸術家ひとりがすっぽりはいってしまうのだ。

7 情報臨取

「これを聞いたときは嬉しかった」とプール。「千年もたって、まだスミソニアン博物館があったとは」

「おそらく見分けはつかないだろうがね」と答えた訪問者は、アリスター・キム博士。航宙部門の部長だと自己紹介した。「ことにいまでは太陽系全体に散らばっているから。人類の地球外コレクションは火星と月にあるし、法律的にわれわれが所有権を持つ展示物のうちかなりの数は、まだ星々へ向かって飛んでいる最中だ。いつかは追いついて、持って帰ることになるだろう。とくに手に入れたいのはパイオニア10号だね――太陽系をはじめて飛びだしていった人工物体だ」

「こっちも危うくそうなるところだったわけだ。あのとき見つかっていなければ」

「運がよかった――おたがいにね。いまの人間が知らないいろいろなことに、あなたのおかげで光があたる」

「さあ、それはどうでしょうかね、せいぜい協力しますよ。あの暴走スペースポッドが襲いかかったとき以降、まったく記憶がない。いまでも信じられないが、加害者はハルだとか」

「そのとおりだが、込みいった話でね。わかっているかぎりのことは、この記録にはいっている。約二十時間あるが、たいていは早送りで済むと思う。

おわかりだろうが、デイブ・ボーマンは2号ポッドに乗ってあなたを救助に出たんだ。だがその後、ハルがポッド格納庫のドアを開けるのを拒んだため、船外に締めだしをくってしまった」

「お(オー)お(・)神(ゴッ)様(ド)、それはまたなぜ?」

キム博士がかすかにぎくりとした表情を見せた。こういう反応を見るのは、プールにはこれがはじめてではなかった。

(ことばに気をつけなければ、と思った。この文化では神はわいせつ語なのか——インドラに聞いてみよう)

「ハルに与えた命令に大きなプログラミング・エラーがあったんだ。ハルには、ミッションのなかであなたとボーマンが知らない部分の管理をまかされていた。みんなその記録にある……

何にしても、ハルは三人の冬眠中の飛行士——アルファ・クルー——の生命維持装置を切ってしまったので、ボーマンは死体を船外に射出しなければならなかった」

（なるほど、デイブとおれはベータ・クルーか。これも初耳だ……）

「彼らはそれ以後は？」とプール。「ぼくみたいには救出できなかったのですか？」

「残念だがね。もちろん調べてみた。ボーマンが彼らを射出したのは、ハルから船の指揮権を奪いかえして数時間後だ。だから軌道は、あなたのものとはすこしずれていた。木星に突入して燃えつきてしまったのだろう。あなたはそばをすり抜けたので、重力の後押しがかかり、このままいけばオリオン星雲に行くところだった。あと二、三千年かければね……

「何もかもを手動のオーバーライドでやってのけて――いやもう、名人芸さ！――ボーマンはディスカバリー号を木星をめぐる軌道に乗せた。そこで出会ったのが、第二遠征隊がビッグ・ブラザーと名づけたものだ――ティコ・モノリスとは見たところ瓜二つの兄弟だが、数百倍も大きい。

ところが、そこで地球は彼を見失ってしまう。彼は残ったスペースポッドでディスカバリー号を出て、ビッグ・ブラザーとランデブーした。それから千年、われわれは彼の最後のメッセージに取り憑かれているよ。〝おおディアス（なんてことだ）――星がいっぱいだ！〟」

（またこれだ！　とプールは心にいった。デイブがそんないい方をするはずがない……正しくは〝おお神様（マイ・ゴッド）――星がいっぱいだ！〟だろう）

「どうやらポッドはある種の慣性場によって、モノリスの内部に引きこまれていったようだ。というのは、本来なら加速に押しつぶされていいはずなのに、ポッドもボーマン自身も無傷だったらしいからね。それきり情報はとだえたが、十年近くたって、アメリカ＝ロシア合同のレオーノフ・ミッションが向こうに着いて、状況が変わってきた」

「捨てられたディスカバリー号とランデブーして、チャンドラ博士が乗船し、ハルを再起動した。うん、そこは知っている」

キム博士はすこし気を悪くした表情になった。

「失礼――あなたがどれくらい説明を受けたか知らないものだからね。何にしても、そのとき以来、また不思議なことが起こりはじめる。

どうやらレオーノフ号の到着が、ビッグ・ブラザー内部に眠っていた何かを発動させたようだ。こういう記録がなければ、誰にも信じてもらえなかっただろう。見せようか……ほら、ディスカバリー号内部で、電力が回復したあと、ヘイウッド・フロイド博士が深夜当直についている。もちろん、あなたにはお馴染みの風景だ」

（そう、覚えている。不思議なものだ。死んで久しいヘイウッド・フロイドが、おれの席にすわり、まばたきしないハルの赤い目に見つめられている。それ以上に不思議な思いがするのは、ハルもおれも死からよみがえるというおなじ経験を分けあっていることだ……）

モニターのひとつにメッセージが来ているという信号がはいったところで、フロイドが大儀そうに答えた。「わかった、ハル。誰からだ？」

名乗りません。

フロイドは迷惑そうな顔になった。

「よかろう。メッセージを出してくれ」

「それはまったく無理だ。発進時限にはいるには、あと二十六日かかる。それより早く発つには推進剤が足りない」

ここにとどまるのは危険だ。きみたちは十五日以内に発進しなければならない。

それはわかっている。しかし、きみたちは十五日以内に発たなければならない。

「警告をまじめに受けとろうにも、出所がわからなければな……そっちは誰だ？」

わたしは以前デイビッド・ボーマンだった。わたしを信じることが大切だ。うしろを見たまえ。

ヘイウッド・フロイドは回転椅子の上でゆっくりと向きを変えた。コンピュータ・ディスプレイ装置の整然たるパネルやスイッチ群から目をそらすと、ベルクロ舗装の常設歩路（キャットウォーク）と向かいあった。

（「これをしっかりと見て」とキム博士。

いわれなくてもわかってるよ、と心のうちでプール……）

ディスカバリー号展望デッキのゼロG環境は、彼が覚えているよりも埃っぽかった。おそらくはエアフィルターの機能が充分に回復しきっていないのだろう。太陽は熱こそないけれど相変わらずまばゆく、その光線束が巨大な窓からさしこみ、ただよう無数の埃が見せる古典的なブラウン運動の実演を照らしだしていた。

その埃に、いま奇妙なことが起こりはじめていた。何かが細かい塵に力を及ぼしているのだろうか、空間のある一点から埃が押しのけられ、その一方、中心に向かって近寄っていく埃もあり、やがてすべてが中空の球をつくるような形で、その表面に集合した。直径ほぼ一メートルの球は、巨大なシャボン玉さながらにつかのま宙に浮かんだ。やがてシャボン玉は細長く伸びると、しぼみはじめ、山や谷をつくった。それは人間の形をとりだしたが、プールはさほど驚かなかった。

ガラスを吹いてこういう形をつくるところを、むかし博物館や科学博覧会で見たことがある。しかしこの埃のまぼろしは、解剖学的な正確さにさえこだわろうとしなかった。へたくそな粘土細工、さもなければ、石器時代の洞窟のすみで見つかる稚拙な土偶を思わせた。多少念がいっているのは頭部だけで、顔はまぎれもなくデイビッド・ボーマン中佐のものだった。

こんにちは、フロイド博士。さて、これでわたしを信じますか？

模造の顔の口もとは動かない。実際その声は――そう、まぎれもなくボーマンの声だ――スピーカー・グリルから流れてくるのに、プールは気づいた。

これはわたしにはたいへんむずかしいし、時間も足りない。この警告を与えることは許された。残り時間は十五日だ。

「しかし、なぜ——きみは何者だ？」

だがおぼろな姿はすでに薄れ、粒状の曲面はふたたび無数の塵に溶解しようとしていた。

さようなら、フロイド博士。以後コンタクトする機会はない。しかしもし万事順調に行けば、もうひとつメッセージがとどくと思う。

イメージが溶け去るのを見ながら、プールはいましがた聞いた宇宙時代の古びた常套句に微笑をこらえることができなかった。〝もし万事順調に行けば〟か——ミッションのたびに、これが幾たび唱えられるのを聞いてきたことか！

まぼろしは消えた。あとには埃がでたらめな運動を再開し、宙に舞っているばかり。プールは気力をふるいおこして、現在にたちもどった。

「さて、中佐——これをどう思うかね？」とキム。

ショックの余波はまだおさまらず、答えられるまでに数秒かかった。

「顔も声もボーマンだ。まちがいない。しかし、いまのは何なんだ？」

「その論議はまだつづいている。ホログラム、立体映像——どう呼んでもいい。その気になれば、これくらいのものをつくる方法はいくらでもある。しかしあの状況ではね！それにもちろん、つづいて起こったできごとの影響も大きい」

「ルシファーか？」

「そう。警告があったおかげで、ちょうど逃げるだけの時間があり、直後に木星が爆発した」

「とすると、あのボーマン現象というか、あれは何であったにしても、人間には友好的で、命を助けようとしてくれたわけだ」

「おそらくはね。しかもあれが最後じゃない。〝もうひとつのメッセージ〟とも関係があるのだろう。エウロパには着陸するなと伝えてきた」

「で、着陸していない？」

「一度だけある、事故だったが。三十六年後にギャラクシー号がハイジャックにあって、強制着陸させられ、姉妹船ユニバース号が救助に行った。それもここの記録にあるよ。われわれのロボット・モニターがエウロパ人についてかき集めた情報もぜんぶ含めて」

「早く見たいですな」

「彼らは水陸両生で、大きさも形もまちまちだ。エウロパにかぶさっていた氷をルシファーが溶かしだすが早いか、どんどん陸に上がってきた。それ以来、連中は生物学的に考えられないくらい速いスピードで進化している」

「エウロパはぼくの記憶でも、氷の割れめがたくさんあったんじゃなかったかな？　あのころもう這いだして、外を見まわしていたんだろう」

「それは定説に近いものになっているよ。しかしもうひとつ、もっと大胆な推論がある。モノリスが何らかのかたちでかかわっているかもしれないという説だ。この考え方の基礎にあるのは、TMA・0(ゼロ)がお膝元の地球で見つかったことだ。あなたの時代より五百年近くもたってからだ。この話は聞いているだろう?」

「漠然とね。追いつかなきゃいけない知識が山ほどあるから! ばかげた名前をつけたものだと思った。磁気異常(マグネティック・アノマリー)でもないし、見つかった場所はティコじゃない、アフリカだ!」

「おっしゃるとおりだが、TMA・1、TMA・2の連想が染みついてしまってね(TMAはティコ磁気異常〔マグネティック・アノマリー〕の略)。そのうえモノリスのことを調べれば調べるほど、謎が深まってくる。いまでもあれは地球外に高度なテクノロジーがあることを明かすただひとつの具体的な証拠なんだ」

「それを聞いたときはびっくりしたんだ。いまごろはとっくにどこかから電波信号を受け取っていると思ったから。天文学者が捜索をはじめたのは、こっちが子供のころだ!」

「まあ、ひとつ示唆的な事実がある。あんまりこわくて、話す気にもならないが。蠍(さそり)座新星のことは聞いているかい?」

「いや、記憶にない」

「新星はどこででも生まれてる。これはそんなに目立ったやつではなかった。しかし爆発を起こす以前、これには惑星が何個かあることが知られていた」

「生物が住んでいた？」

「それはまったく知りようがない。電波による捜索でも、何も受信していない。で、ここから悪夢がはじまる……

運よくオートマチックの新星パトロールが、爆発の模様を最初から追いかけていた。ところが、これのはじまりは星からじゃなかった。惑星のひとつが最初に爆発して、恒星に飛び火した……」

「おお神（マイ・ゴッ）……失礼、つづけて」

「意味はわかるね。惑星が新星（ノヴァ）化することはありえない――あるひとつの方法を別にすれば」

「むかしSF小説で悪いジョークを読んだことがある。超新星は工場事故だというんだ」

「あれは超新星じゃなかったが、ジョークとは思えないね。いちばん広く認められている説は、誰かが真空エネルギーを汲んでいたということだ。その制御が利かなくなった」

「それとも、戦争でもやっていたか」

「おなじくらい悪い。つきとめるのは無理だろう。しかし地球文明もおなじエネルギー源に依存しているからには、なぜ蠍座新星がわれわれにとって悪夢なのか、理由はわかるはずだ」

「むかしは原子炉のメルトダウンぐらいしか悩みはなかったのに！」

「その心配はなくなったよ、幸いにね（サンク・ディアス）。しかしTMA・0の発見のことはもっと話しておきたかったな。人類の歴史において一大転機となったできごとなんだから。月にTMA・1が見つかったことさえ大ショックなのに、五百年後には、なおさらひどいことが起こった。しかも、こちらはもっと急所に近い――あらゆる意味でね。人類の発祥の地アフリカなんだから」

8　オルドバイへ帰る

リーキー一家には、この場所は見分けもつかないだろう。スティーブン・デル・マーコ博士は、よくそう思う。それも五百年まえ、ルイスとメアリがわれわれの最初の祖先を発掘した場所から、ほんの十キロかそこら離れているだけなのに。世界的な温暖化と、小氷河期（テクノロジーの荒療治によって早々と終結させたが）が風景を一変させ、生物相をすっかり変えてしまったのだ。オークと松はいまだに戦いをつづけ、この気候の転変にどう生き残るか競いあっていた。

じっさい二五一三年のいま、このオルドバイ渓谷に、研究熱心な人類学者たちが掘り起こさなかったものがまだあるなどとは、にわかには信じられなかった。ところが、つい最近の鉄砲水によって——二度と起こらないように対策が打たれたが——この地域がふたたび掘り返され、厚さ数メートルの表土が流されてしまったのである。デル・マーコはこの好機を見逃さなかった。そして深部スキャンの到達限界の近くに、信じられないようなものを見つけたのである。

そのぼんやりしたイメージの実物にまでたどりつくには、一年余にわたるゆっくりした慎重な発掘作業が必要であり、やがて明らかになった事実は、彼のあらゆる野放図な空想をも超えるものだった。発掘ロボットが最初の数メートルの土をみるみるどかし、つぎには昔ながらの大学院生の奴隷隊と入れ替わった。これには四人の〝コング〟のチームが手伝う、というか邪魔をした。デル・マーコにすれば、コングは足手まといの何ものでもなかった。しかし遺伝学的に能力拡張されたゴリラは人気者で、学生たちのつきあい方を見ていると、まるでかわいい知恵遅れの子供に対するようだった。双方の関係が、かならずしもプラトニックなものとは限らないという噂も立っていた。

だが最後の数メートルでは、何もかもが人間の手作業で、ふつうは歯ブラシを使っての作業となった——それも毛の柔らかいやつだ。しかしそれも終わった。ツタンカーメンの墳墓で黄金の最初のきらめきを見たハワード・カーターさえ、これほどの宝物は掘り起こしていない。この瞬間よりのち、人類の信念と哲学が取り返しのつかないほど変化してしまうであろうことは、デル・マーコにははっきりと見てとれた。

そのモノリスは、五世紀まえ、月面で発掘されたものと瓜二つに見えた。発掘現場の広さなどもそっくりだった。またTMA・1とおなじく、それはまったく光を反射せず、アフリカのぎらぎらした陽光とルシファーの薄明かりを何の選り好みもなしに吸収した。

来訪者の一行——世界五指に数えられる有名博物館の館長たち、三人の著名な人類学者、それに二人のメディア王――を発掘現場の孔（あな）へ導きながら、デル・マーコは、これほど傑出した男女が一堂に会して、こんなに長く黙りこくっていることがいままでにあっただろうかと考えていた。だがこの漆黒の物体が、見学者に与える影響はまさにそのようなものであり、見るにつけ、人びとは周囲に何千とちらばる遺物の意味にあらためて気づくのである。

なぜならここは、考古学者の宝物蔵であったからだ。粗末な造りの燧石器（すいせっき）、数知れぬ骨――獣骨、人骨――そのほとんどが、きちんとした模様を描くように配置されているのだ。何百年、いや、何千年もだろうか、哀れを催すこれらの品々は、ほのかな知性のあけぼのにある生き物たちにより、ここへ運ばれてきたにちがいない――彼らの理解を超える驚異への捧げものとして。

いや、われわれの理解をも超えているかもしれない。デル・マーコはよくそう思う。だが二つだけ、証明される日が来るとは思えないが、彼が確信をもっていえることがあった。

この場所こそ――広大な時空のなかで――人類が出発したところなのだ。

そしてこのモノリスこそ、あとにつづく無数の神々のさきがけであったのだ。

9　天空の楽園

「ゆうべ寝室にネズミがいたぜ」プールがからかい半分にいった。「どこかで猫を見つけてきてくれないかな？」

ウォーレス博士は腑に落ちない顔をしたが、やがて笑いだした。

「掃除役のちびロボの音が聞こえたのね。睡眠の邪魔にならないように、プログラミングを調べさせておくわ。作業中見つけても、踏んづけたりしないでね。そんなことをしたら、救難信号を出すから、仲間がみんな破片を拾いにかけつけてくるわ」

学ぶことはたくさん――時間は足りない！　いや、それは違う、とプールは思い起こした。この時代の医学のおかげで、まだこれからたっぷり一世紀は生きていられそうなのだ。その思いは、嬉しいというより、彼を不安な気持におとしいれた。

いまでは、たいていの会話にはたやすくついていけるようになり、発音も覚えて、話の通じる相手はインドラだけではなくなっていた。アングリッシュ（白系英語）がいま世界言語であるのはその点ありがたかったが、フランス語、ロシア語、中国語もまだ勢力を保っていた。

「もうひとつ問題があるんだ、インドラ。それも力になってもらえるのは、どうやらきみだけらしい。ぼくが〝神〟というと、なぜみんな困った顔をするんだい？」

インドラは困った顔はしなかった。逆に笑いだした。

「それは込みいった話なのよ。昔なじみのカン博士がいたら、説明してもらえるんだけど、いまはガニメデで、生き残りの狂信者たちの治療にあたっているところだから。旧宗教がみんな威信を失ってからも——そのうちいつか教皇ピウス二十世の話をしなくてはね——歴史を変えた人よ！——わたしたちにはまだことばが必要だったの。第一原因、というか造物主を指すことばがね——そういうものがあるとして……

いろんな案が出たわ。デオ——セオ——ジョーブ——ブラフマ——みんな一時期通用して、まだ使われているものもあるわね——たとえば、アインシュタインのお気に入りだった〝偉大なるもの〟なんか。でもいまはディアスが流行みたい」

「忘れないでおこう。しかしばかばかしい気がするな」

「慣れるわよ。そのうちあんまりぶしつけでない呪いのことばを教えてあげる。心につきあげてきた思いを吐きだしたいときは、それを使うといい……」

「旧宗教はみんな威信をなくしたと、きみはいったね。では、いまの時代、人びとは何を信じているんだ？」

「信じるにしても最小限という路線ね。わたしたちはみんな理神論者か有神論者よ」

「さっぱりわからない。定義をお願いしたいね」

「あなたの時代にもすこし違いはあったけど、最新版はこういうこと。有神論は神はひとつ以上は不要だという派。理神論は神はひとつ以下では困るという派」

「その区別はどうもぼくの感覚では微妙すぎるな」

「万人向きではないわね。これがどんなに後味の悪い論争を引き起こしたか、知ったら驚くわ。五世紀まえ、超現実数学というものを使って、理神論者（ディスト）と有神論者（セイスト）とのあいだには無限の段階があるということが証明されたの。もちろん、無限のコンセプトにちょっかいを出す人間がみんなそうなるみたいに、その人も発狂しましたけどね。ところで、いちばん有名な理神論者（ディスト）はアメリカ人よ——ワシントン、フランクリン、ジェファーソン」

「ぼくが生まれた時代よりすこしまえだ。しかしそういうことがなかなかピンと来ない人たちが多くてね」

「そうだ、いいニュースがある。ジョーから——アンダースン教授から——とうとう出たのよ——何といってたっけ？——OKが。ここまで回復したなら、常住区画へ移っていいと」

「それは朗報だ。みんな親切にしてくれるけれど、自分の住まいを持つほうがいいからね」

「新しい服がいるし、誰か着方を教えてくれる人も必要ね。それに日常の細々したことを手伝ってもらわないと、時間をどんどん食ってしまうことにもなるし。そういうわけで、あなたの個人的なアシスタントを勝手に選ばせてもらったわ。どうぞ、ダニル……」

ダニルは三十なかば、明るい褐色の肌をした小柄な男で、たがいの手のひらを合わせて、情報を自動的に交換するふだんの挨拶をせず、プールを驚かせた。じっさい間もなくわかったことだが、ダニルは識票（アイデント）を持っていなかった。そのてのものが必要なときには、小型の四角いプラスチック片を取りだしたが、それは二十一世紀の〝スマート・カード〟とおなじ役目をしているようだった。

「ダニルはあなたのガイド役で、ほかに――何ていったかしら、覚えが悪くて困っちゃう――〝バレエ〟とおなじ韻を踏むことば。その仕事のために特別に仕込まれているの。きっと満足してもらえると思うわ」

この好意には感謝するものの、プールは少々居心地の悪さをおぼえた。従者（ヴァレエ）だって！　従者などというものには、いままでひとりも出会ったおぼえはない。すでに彼の時代には、残り少ない絶滅危惧種であったのだ。自分が二十世紀初期の英国小説の登場人物になった気がした。

「ダニルがあなたの引っ越しの準備をしているあいだ、わたしたちはちょっと上のレベルに旅行しましょう……月のほうに」

「すばらしいね。どれくらい遠いんだ？」

「ああ、一万二千キロぐらいかしら」

「一万二千キロだって！　それは長旅だ！」

インドラは彼の反応にびっくり顔をしたが、すぐにほほえんだ。

「思うほど遠くはないのよ。いいえ――『スター・トレック』のビーム転送装置はないわ――いまでも研究はしているようですけどね！　そこで、あなたがどちらを選ぶか――わたしにはどちらかわかるけど。外部エレベーターに乗ってながめを堪能するか、それとも、内部のに乗って、食事と軽いエンターテインメントを楽しむか」

「なかにいたいという人間の気持がわからないね」

「驚くわよ。目をまわす人もいるの、とくに下からくる人のなかにはね。高いところは平気だという登山家でも、メートルじゃなく何千キロの単位になると、血の気をなくす人がいるわ」

「ためしてみようじゃないか」プールはにっこりした。「もっと高いところへ登ったこともある」

タワーの外壁にある二重エアロックを抜けると（方向感覚がつかのま狂ったような気がしたが、錯覚だろうか、それとも現実にそう感じたのか？）、二人は小劇場の客席のようなところにはいった。十席の列が、階段状に五層積み重なっていた。席はすべてタワーを背に、広々としたはめ殺しの窓に向きあっており、それを見るたびに、いまでもプールは気もそぞろになるのだった。というのは、宇宙へ放出されようとする何百トンという大気の圧力を忘れることができなかったからだ。

十数人の乗客は、そんなことにはまったく頓着していないようすで、のびのびとくつろいでいる。プールがいるのに気づくと、乗客たちはにっこりし、愛想よく会釈をして、顔をそむけ、景色に見とれはじめた。

「スカイラウンジへようこそ」とお決まりの自動ボイスがいった。「あと五分で上昇します。お食事とトイレットは下のフロアにあります」

これは何時間の旅になるのか？　そんな疑問がわいた。行って帰って二万キロ以上の距離を移動することになる。これはおれが地球で知っていたエレベーターとは桁（けた）がちがう……

出発を待つあいだ、プールは眼下二千キロに広がる壮大なながめを楽しんだ。北半球はいま冬を迎えているが、気候はじっさい大きく変化したようで、北極圏より南にはほとんど雪がなかった。

ヨーロッパにはほとんど雲はなく、すべてがあまりにも細かく見わたせるので、目が疲れてしまうほどだ。歴史上に名をとどろかせた大都市がひとつひとつ見分けられた。通信革命が世界の様相を変えるとともに、都市は彼の時代のころから規模を小さくしはじめていたが、いまではもっと小さくなっていた。また、予想もしないところに大量の水があり、北部サハラのサラディン湖は小さな海のように見えた。

ながめに気を奪われていたため、時間がたつのを忘れていた。気づいたときには、とっくに五分以上が過ぎていた。なのに、エレベーターは停まったままだ。なにか故障でもあったのか、それとも遅れた乗客を待っているのだろうか？

だがそのときプールはあることに気づいた。それがあまりにも常軌を逸していたので、目に見えた証拠を信じることができなかった。まるで数百キロメートルも上昇したように、パノラマが拡大しているのだ！　見まもるうちにも、新しい海や地形が窓のフレームのなかにすべりこんでくる。

わかりきった理由に気づいたとたん、プールは笑いだした。

「一杯食わされるところだったよ、インドラ！　てっきり本物だと思っていた——ビデオ映像じゃなくてね！」

インドラはいぶかしげな笑みをうかべ、見返した。

「よく考えて、フランク。わたしたち、十分まえぐらいに動きだしたでしょう。上昇速度はいまごろは、そうね、時速千キロぐらいになっているはずだわ。この種のエレベーターは最大加速で百Gにはなるというけど、これくらいの短い旅では、十G以上にはならないはずよ」

「そんなばかな！　ぼくが遠心機に乗ったときでも最大は六Gで、体重が半トンにもなるのは、あまりいい気分じゃなかったね。これに乗ってから、ぜんぜん動いていない」

すこし声高になっていたのだろう、ほかの乗客たちが素知らぬ顔で聞き耳を立てているのに気づいた。

「仕組みはわからないけど、フランク、これは慣性場というんだそうだわ。別にシャープ(Sharp)方式ともいわれているみたい。Sは有名なロシアの科学者サハロフの頭文字ね。あとのアルファベットは知らないけど」

ゆっくりと、プールの心に理解の光がかがやきだした。それとともに、畏敬とないまぜになった驚異に鳥肌が立つのをおぼえた。まさにここには〝魔法と見分けのつかないテクノロジー〟がある。

「友人のなかに〝宇宙駆動〟を夢想している連中がいた。ロケットに取って代わるエネルギー場で、加速を感じないで飛行できるやつだ。ぼくらは気が狂ってると思っていたんだが、どうやら彼らのほうが正しかったようだね！　まだ信じられない……それに気のせいじゃないとすれば、体重が減ってきてるぞ」

「ええ――月の重力に合わせはじめているの。出るときには、月にいるのとおなじ感覚を味わえるわ。だけどお願い、フランク――エンジニアのほうはしばらく休業して、ながめを楽しんでちょうだい」

いい忠告ではあったが、アフリカ、ヨーロッパの全体、そしてアジアの大半が視野に流れこむのを目にしながらも、プールはこの驚くべき真相から心を離すことができなかった。しかし、まるっきり驚いてばかりもいられなかった。彼の時代以降、宇宙推進システムに大きな飛躍がいくつもあることはわかっていたが、日常生活にこれほどドラマチックに応用されているとは思っていなかったのだ——といっても、もちろん高さ三万六千キロの摩天楼に住むことを日常生活と呼べるならの話だが。

ロケットの時代が終わって、すでに何世紀もたつ。推進システムと燃焼室、イオン推進器と核融合炉、そういうものに関する知識はすべて廃れてしまったのだ。もちろん、いまではどうでもよいことだ。だが帆船の船長が、汽船の台頭によって感じた悲しみはプールにも理解することができた。

気分がとつぜん晴れた。顔が自然にほころんだのは、自動ボイスがこう告げたからだ。

「あと二分で到着します。お手持ち品をお忘れにならないようお気をつけください」

こんなアナウンスを民間航空機の客席で何回聞いてきたことだろう! 時計を見て、上昇をはじめてからまだ三十分もたっていないことに気づいた。とすれば、時速は平均二万キロにもなるかもしれないのに、動いた感じがないのだ。もっと不思議なことがある。この十分あまり、エレベーターはすさまじい勢いで減速していたはずである。だとすれば、本来なら乗客はルーフに逆立ちになり、頭を地球に向けていなければならないところなのだ！

ドアが音もなく開き、そとに出たプールは、エレベーター・ラウンジにはいったときとおなじようなかすかな方向感覚の狂いを味わった。しかしながら、今回はその理由に気づいた。彼が移動しているのは、慣性場が重力とオーバーラップする移行ゾーンなのだ——このレベルでは、重力は月のものと等しい。

遠く小さくなっていく地球のながめは、宇宙飛行士の彼から見ても息をのむばかりだったが、それは意外でも驚くようなことでもなかった。しかし目のまえに広がるこの巨大な部屋をいったい誰が想像したろう。どうやらタワーのひとつのフロア全体を占めているようで、つきあたりの壁が五キロメートルもかなたにあるのだ。おそらくこの時代、月や火星にはもっと広い密閉空間があるにちがいない。だが宇宙空間においては、ここは最大のものに数えられるだろう。

彼らがいま立っているのは、壁ぎわ五十メートルほどの高さに作られた展望台で、そこからは驚くほどバラエティに富んだパノラマを見わたすことができた。明らかに、ここは地球のひとつの生物群系(バイオーム)をそっくり再現する意図のもとに作られているようだ。二人のすぐ下には、すらりと背の高い木ばかりの木立があったが、はじめプールにはそれが何の木なのかわからなかった。だがやがて、それが正常重力の六分の一の環境に適応したオークの木立であることに思いあたった。ここでは椰子(やし)の木はどう見えるだろうか、とプールは思った。おそらくは巨大な葦だろう……

中ほどのところに小さな湖がある。おまけに川まで流れこんでおり、川は草原を曲がりくねって、一本の巨大なバンヤン樹と見えるものの根元に吸いこまれていた。この川の水源は何だろう？　ドラムをたたくような音に気づいて、壁のゆるやかな曲面にそって見わたすと、小型のナイアガラが目にとまった。舞いあがるしぶきのなかには、ちゃんと七色の虹まで浮かんでいる。

立ったまま何時間見とれていても、ここに再現された地球環境の複雑で華麗なシミュレーションへの感嘆の念は尽きそうになかった。過酷な新しい宇宙空間へと進出する過程で、人類は生まれ故郷を忘れずにいたいという思いを痛感したにちがいない。もちろん彼の時代にも、自然を思いだす――みすぼらしい――よすがとして、公園はどの都市にもあった。おなじ衝動が、ここではもっと巨大なスケールではたらいているのだ。アフリカ・タワーのセントラル・パークとは！

「降りましょう」とインドラがいった。「見たいものがたくさんあるわ。もっとたびたび来たいんだけど、時間がなくて」

この低重力なら歩くのに苦労はないが、ところどころ小型のモノレールで時間を節約し、一度は途中下車してカフェに立ち寄った。といっても、元来は高さ二百五十メートルはあっただろうと思われるセコイア杉の切り株に巧妙に隠されたものである。

まわりに人影はほとんどなく——いっしょに来た乗客は、とっくに風景のなかにまぎれこんでいる——まるでこの不思議の国を二人で独占しているように思われた。たくさんのロボットが動員されるのだろう、管理はみごとに行きとどいたもので、プールは子供のころに行ったディズニー・ワールドを思いだした。しかしここはもっといい。人混みはなく、人類やその生産物を連想させるものはどこにも見当たらないのだ。

とてつもない大輪の花までまじる蘭のすばらしいコレクションに見とれているとき、プールは人生においても最大のショックのひとつに見舞われた。庭師の小屋と一目でわかるもののまえを通りかかったとき、ドアが開き——庭師が現われた。

フランク・プールは常日ごろ自制心の強さを自慢してきたので、すっかり大人のいま、自分の口から恐怖の悲鳴があがるとは夢にも思っていなかった。しかし彼の世代の少年たちの例に漏れず、〈ジュラシック〉ものの映画はぜんぶ見ていた。というわけで面と向かえば、ラプトルを見まちがえることはなかった。

「ほんとうにごめんなさい」インドラが心から気づかいを見せた。「注意するのをすっかり忘れていたわ」

プールの混乱した神経は正常にもどった。この整然と秩序の保たれた世界に、もちろん危険があるはずがない。とはいうが、だ……！

恐竜はいかにも関心がなさそうに見つめかえし、また小屋に引き返すと、熊手と剪定（せんてい）ばさみを持って現われ、肩からぶらさげていた袋に入れた。それは鳥のような足どりでプールたちのもとを離れると、一度もふりかえることなく、十メートルも背丈のあるヒマワリのなかに消えた。

「説明しておけばよかった」インドラは悔やんだ。「わたしたち、技術的に可能なときにはロボットよりも生物を使うのが好きなの——これって炭素優越主義ね！　手先の器用な生物というのは、そんなにたくさんはいないので、どの種類もいままでみんな一通り使ってきたわ。

というところで、ここにまたいままで誰ひとり解いた人のいない謎があるの。チンパンジーやゴリラみたいな草食動物の能力を拡張すると、こういう仕事に向くと思うでしょう。それがそううまくはいかないのよ。忍耐力が足りないの。

ところが、いまここにいた彼みたいに、肉食動物は訓練がしやすいわけ。それどころか——これがまたパラドックス！——ちょっと変異させたら、おとなしくて気がいいの。その陰には一千年の遺伝子工学の積み重ねがあるのはもちろんなんだけど、考えてもごらんなさいよ。原始人だって、試行錯誤でオオカミをあそこまでなつかせたのよ！」

インドラは笑ってつづけた。「信じないでしょうけど、フランク、彼らはベビーシッターとしても優秀なのよ。子供たちはもうくびったけ！　五百年まえからのジョークがあるわ。〈あなたはお子様を恐竜にまかせて安心ですか？　とんでもない——子供たちが怪我をさせたら大変！〉」

　プールはいっしょに笑ったが、これは悲鳴をあげたことへの照れ隠しの意味もあった。話題を変えようと、彼はまだ気にかかっている疑問をインドラにぶつけた。

「こうした何もかも、たしかにすばらしいよ。しかし、なぜこんなに手間をかけるんだ？誰でもタワーから降りるだけで、本物とじかに触れられるのに」

　インドラは考えこむようにプールを見つめ、自分のことばの重みを推し量っていた。

「それは当たっていないわ。地球表面に降りるのは楽じゃないのよ――二分の一Gレベルより上に住んでいる人間にはね、危険といってもいいわ。浮揚(ホバー)チェアを使ってもね」

「ぼくはだいじょうぶ！　一G環境で生まれて育ったんだぜ。ディスカバリー号でも体の鍛錬は怠らなかったし」

「その件はアンダースン教授に話してみて。これはわたしからいうべきことじゃないんでしょうけれど、あなたの生物時計が何時かという問題では大論争があったのよ。どうやら生物時計はまったく止まっていたというわけじゃないらしくて、あなたの肉体の推定年齢は、いま五十から七十のあいだらしいの。あなたは元気にやっているけど、体力が完全にもどるのはまだずいぶん先。千年も眠っていたあとではね！」

　やっとわかってきたぞ。プールはわびしい気持で心にいった。これでアンダースンが答えをぼかしていた理由も、あれこれ筋肉の反応を調べていたわけもわかる。

はるばる木星から帰ってきて、地球まであと二千キロのところへ来た。しかしバーチャル・リアリティでいくたび訪ねようと、もしかしたら永遠に母星の土を踏めないかもしれないのだ。

これを心のなかでどう整理していけばいいのやら……

10　イカロス賛歌

憂鬱はほどなく去った。見ることもやることもまだたくさんあるのだ。千回人生をくりかえしたところで、充分ではないだろう。そして問題は、この時代に無数にある娯楽から何を選ぶかなのだ。必ずしもうまくいったわけではないが、瑣末事にはなるべく近づかないようにし、肝心なことだけに注意を集中しようとした——とくに自分の教育にである。

ブレインキャップ——及び、これに付属する書物サイズの再生機で、当然ながら名前はブレインボックス——は、ここではとてつもなく役に立った。ほどなく彼はこうした〝インスタント知識〟の小板（タブレット）のこぢんまりしたライブラリーを持つようになった。一枚一枚にカレッジの学位ひとつ分に相当する教材がそっくり収まっている。その一枚をブレインボックスにさしこみ、彼に具合のいい速度と濃度に合わせると、光がひらめき、あとは意識がなくなり、その状態が一時間ほどつづく。目覚めたときには、もう心のなかに新しい領域が開かれているのだ。といっても、当の知識をさがすと、それがあるということがわかるだけなのだが……。それはライブラリーの持主が、持っているとは知らなかった幾段もの本棚に出くわすのに似ていた。

概していえば、プールは彼が生まれた時代の権威である。義務感から――また感謝の気持から――プールはあらゆる方面からの問いあわせにできるかぎり応じてきた。科学者、歴史学者、作家、その他しばしば彼の理解も及ばぬメディアで活動する芸術家たち。また四つのタワーの市民からは、数えきれないほど招待が舞いこんだが、これらは事実上すべて断わらざるをえなかった。

何よりも魅惑的なのは――しかも抵抗しがたいのは、眼下に広がる美しい惑星から舞いこむ招待状だった。「もちろん」とアンダースンはいったものだ。「適切な生命維持装置をつければ、短時間は降りても命に別条はないが、あまりいい気分のものじゃないよ。それに神経・筋肉系にもっと負担がかかるおそれがある。まだあの一千年の眠りによるダメージから回復しきっていないところがあるんだ」

もうひとりの後見人インドラ・ウォーレスは、他人のよけいなお節介から彼を守り、どういう依頼や要請を受けたらいいか、また丁重に断わるかについて、アドバイスを怠らなかった。独力では、この複雑きわまる文明の社会政治構造を理解することはとても不可能だったろう。しかし間もなく見えてきたことに、階級区分は名目上はなくなったものの、数千人のスーパー市民がやはり存在するのだった。ジョージ・オーウェルは正しかった。いつの世にも、ほかの連中よりもっと平等な者がいるのだ。

二十一世紀に条件づけられた頭で、プールがときどき疑問に思うのは、この歓待の代金を誰が支払っているのか——いつかある日、とてつもないホテル料金に相当するものを請求されるのではないかということだった。しかしインドラがすぐさま元気づけた。彼はユニークで貴重このうえない博物館展示品なのだ。だからそのような日常的な問題に気をわずらわせることはない。彼が——理性の範囲内で——ほしいと思うものは、何でも提供されるだろう。その限界がどれくらいのものか、プールは考えをめぐらせたものだ。いつの日か、それを見きわめようと行動をおこすことも知らずに。


人生の重要なできごとはたいてい偶然から起こる。壁のディスプレイ・ブラウザーを音を消したままランダム・スキャンしているとき、すばらしい映像に目が引きつけられた。

「スキャンとめろ！　音声アップ！」思わず叫んだので、不必要な大声になった。

知っている音楽だが、曲名を思いだすのに何分かかかった。壁いっぱいに翼のある人びとが映り、優雅におたがいのまわりをぐるぐると回っている情景が、思いだす妨げになったことは疑いない。しかしチャイコフスキーさえ、このような『白鳥の湖』の上演には仰天したのではないか。踊り手たちがほんとうに飛んでいるとは……

プールはうっとりとして数分見とれていたが、やがてこれは現実の情景であると確信がいくようになった。どうやら模造ではないようだが、彼の生まれた時代でも、そのあたりはあまりはっきりしなかったものだ。おそらくこのバレエは、あちこちにある低重力環境のどこかで上演されたものだろう。それも映像のいくつかから察すると、相当に広いところのようだ。ひょっとしたら、このアフリカ・タワーなのか。

　これをやってみたい、とプールは決意した。プールは彼の大好きなスポーツのひとつ、フォーメーション・スカイダイビングを禁じてしまった宇宙局をいまでも許していなかった。といっても、貴重な投資物件を危険にさらしたくない宇宙局側の考えもわからないではなかったが……。医師たちは少年時代のハンググライダー事故にも大きな懸念を示した。だが幸いなことに、十代の骨はきれいに治っていた。

「そうだな」とプールは心にいった。「いまは止める人間は誰もいないことだし……アンダースン教授から文句が出なければだが……」

　プールがほっとしたことに、アンダースンはこれに両手をあげて賛成した。また嬉しいことに、どのタワーにも十分の一Gレベルに〈鳥かご〉があった。

　数日のうちに、翼にあわせるため体のサイズが測られた。しかし『白鳥の湖』のダンサーたちが着けていた優雅なものとはちがい、彼の翼は無骨なものだった。羽根の代わりに柔軟な膜が張られ、補助肋材についた取っ手をつかむと、彼の姿はむしろ鳥というよりコウモリに近かった。しかしながら「ドラキュラよ、退いた退いた！」というジョークは、インストラクターには通じなかった。どうやらこの時代の人間は、吸血鬼にはまったく馴染みがないらしい。

手始めは軽量のハーネスにくくりつけられての練習で、おかげでどこへも動くことはないままに、飛翔の基本型を教わり――また何よりも、安定と制御の仕方を学んだ。習い覚える技術はたいていそうだが、これも見かけほど簡単ではなかった。

この安全ハーネスを着けた姿はさすがにみっともなく感じられ――地表のたった十分の一の重力でいったい誰が怪我をするというのか？――レッスンが三、四回で済んだことに、プールはほっとした。宇宙飛行士の訓練が役立ったことはまちがいない。飛翔教官にいわせると、彼はいままででいちばん優秀な生徒だということだったが、もしかしたら誰にもそういうのかもしれなかった。

四十メートル四方の部屋で、縦横に張った障害物を苦もなくすり抜けながら、十何回か自由飛行をおこなったのち、はじめて単独飛行にオール・クリアの許可が下りた。そしてふたたび十九歳に若返りした――フラグスタッフ飛行クラブの旧式のセスナでまさに飛びたとうとしているあの時代に。

初飛行の舞台は、〈鳥かご〉というさえない名前からは想像もつかないものだった。もっと下の月重力レベルにある森や庭園を収容したスペースよりはるかに広く思われたが、じっさいにはほぼおなじ大きさだろう。というのは、タワー自体が先細りになる割合はたいへんゆるやかなもので、〈鳥かご〉もやはりそのフロアのほぼ全体を占めていたからだ。

円形の空間で、高さは五百メートル、直径は四キロメートルあまりあり、目にとまる特徴がないだけに、よけいだだっぴろく見えた。周囲の壁がむらのない空色なので、無限の空間という印象はさらに強まっていた。

「お望みの風景を用意できるよ」と教官は自慢したが、プールは鵜呑みにせず、どんなにむずかしいものであれ、飛びこんでいく覚悟をきめた。だが目のくらむような高度五十メートルからの初飛行では、目の保養になるようなものはなかった。もちろん、この高さから落ちるのは、重力十倍増しの地球上で五メートル落下するのとおなじことで、へたをすれば首の骨を折る。しかしながら、ここではちょっとしたかすり傷を負うのもむずかしかった。というのは、フロア全体が柔らかいケーブルの網でおおわれているからである。部屋全体が巨大なトランポリンというわけで、これなら翼なしでもたっぷり遊べると、プールは思ったものだ。

力強い下向きの掻き方で、プールは空中に舞いあがった。あっという間に、体は百メートルほどの高みに浮かび、まだ上昇をやめなかった。

「速度を落とせ!」と教官の声。「追いつけないよ!」

プールは体をまっすぐにし、そろそろと体をひねってみた。体が軽く(十キログラムにも満たない!)、おまけに頭がふらふらするので、酸素が濃くなったのだろうかといぶかった。

これは素敵——肉体的にはかなりの冒険になるので、ゼロ重力とは大ちがいだ。いちばん近い体験をさがすとすればスキューバ・ダイビングで、もし鳥でもいれば、南海の珊瑚礁でよくいっしょに泳いだカラフルな魚の代用になるのにと彼は思った。

教官はいろんな飛翔法をひとつひとつプールに実行させた。ひねり、宙返り、逆立ち、空中停止……最後に教官がいった。「もう教えることはない。さあ、ながめを楽しみなさい」

つかのまプールはバランスを失いそうになった——が、これは向こうの計算どおりだろう。なぜなら、まったく予告もなく、周囲は雪をかぶった山々となり、彼は狭い山峡に浮かび、不気味に出っぱった岩からほんの数メートルのところを舞い降りていたからだ。

もちろん、これが現実のはずはない。この山々は雲とおなじようにつかみどころのないものであり、その気になれば、突き抜けるのもたやすいことだ。とはいうものの、彼は切り立った岩壁からあわててそれると(岩棚にワシの巣があって二個の卵が見え、もっと近づけば、さわれそうに思えた)、もっと広々とした空間をめざした。

山々が消え、とつぜん夜になった。やがて星が現われた。地球の貧弱な夜空ではほんの二、三千が見えるだけだが、これは途方もない数だ。しかも星だけではない。はるかな銀河の渦巻きや星々がびっしりとひしめく球状星団までも……

これが現実だとは考えられなかった。こんな星空が見えるどこかの世界へ摩訶不思議な力によって運ばれたにしても不可能なことだった。なぜなら、それらの銀河は、彼の見まもる目のまえで後退しつつあったからだ。星々が光を失い、爆発し、ほのかに燃える星々の温床で生みだされている。一秒ごとに、百万年が過ぎ去っているにちがいない……

壮大な景観は、現われたときとおなじようにたちまち消えた。ふたたび周囲はからっぽの空となり、教官と二人きり、〈鳥かご〉の無特徴な青い円筒のなかを飛んでいた。

「今日はこれで充分だね」という教官は、プールの頭の上、数メートルの高みに浮かんでいる。「今度来るときには、どんな風景がいい？」

プールにためらいはなかった。にっこりして、問いに答えた。

11　此処(ここ)に竜あらん

今日この時代のテクノロジーをもってしても、じかに見なければ信じなかったはずである。いったい何テラバイト、いや、ペタバイト——大きさに見合う語などあるのか?——にのぼる情報が、この長い歳月のあいだに蓄積され、どのような記憶媒体のなかに保存されたのか? あまり考えないほうがいい。おとなしくインドラの忠告に従うことだ。「エンジニアの自分は忘れなさい。そして楽しむことね」

たしかにプールは楽しんでいた。だがその快感は、胸のつまるような懐かしさと混ざりあっていた。なぜなら、彼がいま飛んでいる、というか飛んでいるように見える高度二千メートルの空の下には、少年時代の壮大な忘れられない風景が広がっていたからだ。もちろんこの距離感は錯覚で、〈鳥かご〉自体はわずか五百メートルの高さしかない。しかし、まぼろしは完璧だった。

ミーティア・クレーターのまわりを飛びながら、宇宙飛行士の卵のころ、この斜面を訓練でよじ登ったことを思いだした。あきれるのは、このくぼ地の成立ちを疑う人びとがいたことだが、それにしてもミーティア（流れ星）とは、よくも正確に名づけたものだ！しかし二十世紀にはいってからも、まだしばらくのあいだ、著名な地質学者たちはこれを火山性のものだといいはっていた。宇宙時代が到来して、ついに——しぶしぶながら——すべての惑星が、いまでも絶え間ない隕石の爆撃にあっていることを認めたのである。

プールはこの快適な飛翔が、時速二百キロより二十キロのほうに近いことに確信があったが、十五分もしないうちにフラグスタッフの上空に着いていた。ローウェル天文台の白っぽくかがやくドーム群が見えてきた。子供のころ何度も見学に来たもので、彼が宇宙飛行士の道を選んだのには、職員たちの親切な応対も疑いなく一役買っていた。アリゾナに生まれていなかったら、そのうえ数ある火星ファンタジイのうちでいちばん寿命が長く、影響力も大きかったものの発祥の地のそばでなかったら、自分はどんな職業を選んでいただろうとよく考えたものだ。おそらくは目の迷いだろうが、大天文学者ローウェルのユニークな墓が、その夢想の推進力となった大型望遠鏡のかたわらに見えるような気がした。

この映像は、いったい何年のどの季節をとらえたものなのか？　おそらくはスパイ衛星からの撮影だろう、二十一世紀の初頭には、そうしたものが世界の監視にあたっていた。彼の時代からそんなに遠くない気がするのは、都市のたたずまいが記憶にあるとおりだったからだ。もしかして低空に降りれば、自分の姿まで見えるかも……

だが、これはばかげた発想だ。いまが近づけるぎりぎりの距離だということは、とっくに気づいていた。もっと降りようとすれば、映像はくずれ、基本のピクセルを現わしはじめるだろう。遠くからながめ、美しい幻影をこわさないようにするのが身のためである。

さらに――これはびっくり！――中学や高校の友人たちといっしょに遊んだ小さな公園まであった。市の有力者たちは、ますますきびしくなる給水量をにらみながら、公園を残すかどうかでいつも大議論をしていたものだ。ともあれ、何とかこの時代まで――何年後であるにしても――生き延びたわけである。

そのとき、またひとつよみがえった思い出に、プールの目は涙にうるんだ。ヒューストンや月から帰宅のチャンスがあるたびに、ローデシアン・リッジバック種の愛犬といっしょに散歩した公園の小道である。ここで棒切れを投げては取りに行かせ、人間と犬が悠久の昔からやってきた遊びに興じたものだった。

木星から帰ったとき、出迎えてくれるリッキーの姿があることを心底ねがいながら、弟のマーティンにあずけたのを覚えている。プールはコントロールを失いかけ、数メートル落下したところで危うく体勢を整えると、あらためて苦い真実をかみしめた。リッキーやマーティンが塵に返ってから、すでに何世紀も過ぎているのだ。

涙のくもりが晴れると、はるかな地平線上にグランド・キャニオンの黒ずんだ帯がかすかに見てとれるようになった。すこし疲れも出て、そちらに向かおうかどうか思案しているとき、空が自分の独占ではないのに気づいた。何かがこちらにやってくる。それは明らかに飛行人間ではなかった。ここでは距離の見当はつけにくいにしても、図体が大きすぎるようだ。

「さてさて」と彼は思った。「プテロダクティルスに出会っても驚きはしないがね。というか、出会うならまさにそういうやつだろう。人に慣れているといいが——でなければ、こっちが逃げきれる速さで飛べるかだ。おい、勘弁してくれ！」

プテロダクティルスというのは、そんなに的外れでもなかった。十点満点で八点というところか。なめし革のような翼をゆっくりと羽ばたかせ、近づいてくるのは、妖精の国から抜け出してきたようなドラゴンだった。しかも構図を完成させるかのように、背中には美女がひとり乗っている。

少なくとも、美女だとプールは思うことにした。伝統的なイメージを少々ぶちこわしにしているものがある。まるで第一次大戦の複葉機のオープン・コックピットから拝借してきたように、女は飛行士用の大きなゴーグルをかけていて、顔がほとんど見えないのだ。

プールは立ち泳ぎの要領で中空にとまり、モンスターの巨大な翼の羽ばたきが聞こえてくるまで待った。二十メートル弱にまで近づいても、まだドラゴンが機械なのか人工生物なのか区別がつかなかった。もしかしたら両方なのだろう。

その瞬間、ドラゴンのことは頭から吹きとんだ。飛行士がゴーグルをはずしたのだ。

決まり文句のこまったところは、うんざりするくらい真実であることだ——というのは、どこかの哲学者が、あくびをかみ殺しながらだろうが、吐いた名言である。

しかし〝一目ぼれ〟は決してうんざりするものではない。


ダニルからは何の情報も得られなかった。だがプールもあてにはしていなかった。この遍在的エスコート役——古典的な従者(ヴァレェ)としてはまず不合格だ——は、あまりにも職能に限界があり、見かけはそうでもないが、精神的に障害があるのではないかと疑いたくなる。あらゆる家庭器具の機能をわきまえ、単純な命令をすばやく能率的にこなし、タワー内の道順を心得ている。だがそれでおしまい。知的な会話は成り立たず、家族のことを遠まわしに聞いても、ただ空(うつ)ろな表情が返ってくるばかり。彼もまた生物ロボットなのかと考えることもあった。


答えをたちどころに出してくれたのはインドラだった。

「ああ、ドラゴン・レディに会ったのね！」

「それがニックネームかい？　本名は何ていう——彼女の身元を知ることはできないか？とても手のひらを合わせられるような場所じゃなかったんでね」

「もちろん——ノー・プロブレモ」

「そんなことばをどこで仕入れたの？」

インドラは彼女らしくなくまごついた。

「覚えてない——なにかの古い本か、映画ね。これはちゃんとした言いまわし？」

「いいや、十五歳以上だとしたらね」

「覚えておくわ。それで何があったか話して——わたしを嫉妬させたいんだったらいいけど」

いまでは二人はたいへん仲のいい友人なので、どんな話題でも率直に話すことができた。じっさいロマンチックな関心の欠如をおたがい笑いながら嘆いたほどである。だが一度だけ、インドラがぽつりといったことがあった。「もしわたしたちが無人の小惑星に流れ着いたとして、救助される見込みもないとしたら、なにか協定を結んでもよさそうね」

「まず、彼女が何者か教えてくれよ」

「名前はオーロラ・マコーリー。いろんな肩書きを持っているけれど、ひとつ挙げれば、〈創造的アナクロニズム協会〉の会長さん。もしドラゴンで感心するくらいだったら、もっとほかの——うう——創造物を見てからになさい。たとえば、モービイ・ディック——それから、恐竜類も動物園にうようよ。母なる自然が考えつきもしなかったような連中ばかりよ」

これはおあつらえ向きだ、とプールは思った。

この地球という惑星で、最大のアナクロニズムはおれなのだから。

12 失望

ついいままで、プールは遠い昔、宇宙局の心理学者と交わした会話のことをほとんど忘れていた。

「あんたは少なくとも三年間、地球を離れていることになる。もしよければ、ミッションが終わるまで、体に害のない性欲抑制剤を埋めこむこともできる。あんたが帰ったときには、その見返りはたっぷり約束するがね」

「いや、けっこう」とプールは答え、笑いをこらえながらつけ加えた。「それくらいは我慢できるよ」

ところが出発後三週間か四週間かして、疑いが芽生えた。これはデイブ・ボーマンもおなじ思いをしていた。

「おれも気づいた」とデイブはいった。「あのくそ医者ども、食事に何かを混ぜたな」

その何かが何であるにせよ――仮に何かが存在したとして――有効期限は数百年もまえに過ぎたにちがいない。いままでは忙しすぎて、人びととの感情的なもつれあいに深入りする余裕はなく、幾人か好意を示してくれた若い女性（や、あまり若くない女性）はいたものの、彼女たちの暖かい誘いはみんな断わってきた。女性たちが彼の外見に惹かれたのか、名声に惹かれたのか、そこのところはわからない。あるいは、二、三十代まえの祖先かもしれない男への単純な好奇心程度のものだろう。

プールが小躍りしたことに、マコーリー女史のアイデントによると、彼女はいま恋人募集中とのことで、彼はぐずぐずすることなく連絡をいれた。それから二十四時間後には、プールは添え鞍に乗り、彼女のウエストに両腕をまわしていた。飛行士のゴーグルが必要なわけも呑みこんだ。なぜならドラゴンは全体がロボット仕様で、時速百キロの巡航もたやすかったからだ。本物のドラゴンがここまで高速で飛んだだろうかと、プールは首をひねった。

無限に変わりゆく眼下の景色が、伝説そのままであるとわかったときも、彼は驚かなかった。空飛ぶ絨緞を追い抜いたときには、アリババがこぶしを振りあげ、「お前たち、ちゃんとまわりを見て飛べ！」と叫んだ。しかしバグダッドから離れた見当ちがいのところを飛んでいるのは、相手のほうかもしれなかった。というのは、いまプールたちが旋回している夢の国のような尖塔群は、オクスフォードにあるものとしか思えなかったからだ。

オーロラが指さして、彼の推測を裏づけた。「あれがパブ——居酒屋（イン）です。C・S・ルイスやトールキンが友人のインクリングたちと会っていた場所ですわ。それから、あの川をごらんになって――橋の下から出てきたボートを。二人の少女と牧師さんが見えるでしょう?」

「見える」ドラゴンが巻き起こす心地よい風のうねりのなかで、プールは叫びかえした。

「あのひとりはきっとアリスだね」

オーロラはふりかえり、肩越しにほほえんだ。顔には心からの喜びがうかんでいた。

「そのとおりよ。尊師の撮った写真から精密に復元したんです。あなたも知らないんじゃないかと思っていた。あなたの時代のあとには、ほとんどの人たちが読まなくなっていたから」

プールは嬉しさに顔がほてるのを感じた。

またひとつテストをパスしたようだぞ。彼は内心ほくそえんだ。ドラゴンに乗ったのが第一ステップ。この先まだいくつ出てくるのか? だんびらを振りまわして斬りあいか? しかしテストはそれ以上なく、太古からの問い――〝あなたのところがいい、それともわたしのところ?〟にどう答えるかは、プール次第だった。

あくる朝、驚きしょげきって、彼はアンダースン教授に連絡をとった。

「絶好調で進んでいたんだ」と嘆いた。「ところが、そこでいきなり向こうが取り乱して、押しのけられてしまった。何か傷つけるようなことをしたんだろうかと――

すると彼女がルームライトを呼んで――それまでは暗闇だったからね――ベッドから飛びだしてしまった。こっちはぽかんと見ているだけだ、馬鹿みたいに……」彼は悲しい笑い声をあげた。「まあ、見させてもらう価値はたっぷりあったけれどね」

「想像がつくよ。それで？」

「二、三分すると落ち着いてきたが、そのときいわれたことはきっと忘れられないだろう」

アンダースンはプールが自制をとりもどすのをじっと待った。

「こういったんだよ――〝ごめんなさい、フランク。わたしたち、うまくいったと思うの。だけど、わたし知らなかったのよ。あなたが――切除されてたなんて〟」

教授は腑に落ちない顔になったが、それもつかの間だった。

「ああ――なるほど。すまなかった、フランク――忠告しておけばよかったな。医者になって三十年になるが、わたしだって五、六例しか見ていない。それもみんな医学的にりっぱな理由があってのことで、きみの場合はそれには当てはまらない……

割礼は原始時代にはたいへん役に立つものだった。きみのいた世紀においても、衛生状態の悪い後進国では、あまりありがたくない病気や、命を落とすような病気から身を守るのに、たいへん効果があった。しかしそういうことを除けば、割礼のいいわけはまったく立たないわけで、強硬な反対意見もある。きみはそいつと出くわしたのさ！

はじめてきみの診察をしたあと、記録を調べてみた。二十一世紀の中ごろになると、医療ミスの訴訟が増えすぎて、アメリカ医師会はとうとう禁止の措置をとっている。いまの医者たちの議論を聞いているとおもしろいよ」

「そうだろうね」フランクはぶすっと答えた。

「一部の国では、この慣習は二十二世紀までつづいたが、そこでどこかの無名の天才がスローガンを唱えた。下品ないい方をするが失礼。〃われわれの体は神がお造りになったものだ。割礼は不敬な行為である〃——これで悪習はあらかた消え失せた。しかしもしよければ、皮膚移植は簡単にできるよ。わざわざ医学の歴史に記録される必要もない」

「やりたいという気持にならないね。見るたびに笑ってしまうかもしれない」

「その意気だ。もう立ち直ってるじゃないか」

自分でも多少驚いたことに、アンダースンの見通しは当たっていた。気がつくと、笑い声をあげていた。

「今度は何だ、フランク？」

「オーロラの〈創造的アナクロニズム協会〉の内幕さ。これに加入すれば、おもしろいチャンスも増えると思ったんだ。残念ながら、彼女がお気に召さないアナクロニズムもあるとわかったよ」

13　異時代の客

インドラは彼があてにしたほど同情してはくれなかった。おそらくは二人の関係のなかに、性的な嫉妬がやはりあったのだろう。そして——もっと深刻なことに——二人がドラゴン災害と苦々しく名づけたものは、はじめての口論らしい口論を招いた。

それは何の罪もないことばからはじまった。インドラがこうこぼしたのだ——

「あんなひどい時代をなぜ専門に研究する気になったかと人からよく訊かれるわ。でも、歴史にはもっとひどい時代もあったといっても、あんまり説得力のある答えにはならないのよ」

「では、なぜぼくのいた時代に興味を持ったんだ？」

「なぜかといえば、あの時代が野蛮から文明への移行期にあたるからよ」

「わかったよ。ありがとう。じゃ、ぼくをコナンと呼んでくれ」

「コナン？　わたしが知ってるのはシャーロック・ホームズの生みの親だけだわ」（〝野蛮人コナン〟は、R・E・ハワード原作の冒険ファンタジイのヒーロー。映画やコミックでも有名）

「いいんだ——失礼、話の腰を折って。もちろん、いわゆる先進国に住んでいたぼくらは、自分たちが文明化していると思っていたがね。少なくとも戦争はほめられたものではなくなっていたし、国際連合は、戦争が起こるたびに停止させようと最善の努力をしていた」

「怪しいものだわ。十点満点でせいぜい三点というところね。だけど、信じられないのは、人びとが——二十一世紀の初頭まで！——わたしたちからすれば残虐に思えるようなことを平気でやっていたこと。おまけに信念そのものが、それこそ度胆をさらうような——」

「度胆を抜く」

「——ナンセンスで、多少とも理性をもった人間ならすぐにも頭から払いのけてしまうわ」

「教えてくれよ、たとえば？」

「そうね、あなたのほんのささいな体の欠損が気になりだして、調べはじめたら、あきれてしまった。あの時代、毎年あちこちの国で、幼い少女たちが処女性を守るためにひどく体を傷つけられていたのを知っていた？　たくさんの少女が死んでいた——だけど関係機関は見て見ないふり」

「悲惨だったがね——ぼくの国の政府に何ができたというんだ？」

「いっぱいよ——その気になりさえすれば。でも、それをやると相手が怒ってしまう。あなたの国に石油を供給し、その代わりに兵器を買っていく人たちがね。地雷なんてひどいものだったわ。あれで何万という市民が殺されたり傷ついたりしたか」

「そういうことじゃないんだ、インドラ。ほかに選択肢がないということも多かったんだ。ひとりで全世界を改革できるものじゃない。それに、こういう名言があっただろう——〝政治とは可能性の技術である〟」

「そのとおりだわ。だから二流の人材しか政界に進出しないのね。天才は不可能に挑戦するのがふつうだから」

「まあ、いまは天才に不足がないからいいね。どんなものも正しく直せる」

「それ皮肉のように聞こえたけれど、わたしの気のせいかしら？　いまはコンピュータのおかげで、政治問題はサイバースペースで実験してから実行に移すのよ。レーニンはかわいそう。百年早く生まれすぎたのよ。ロシア共産主義だって、マイクロチップがあったらもっとうまくいったかも——すこしのあいだはね。それとスターリンを蹴落とすことができていたら」

彼の時代をインドラがよく知っているのには驚かされるが、一方、彼からすれば当然のことを彼女があまりにも知らないことにもよく驚かされた。ある意味では、彼が抱えている問題はその裏返しかもしれなかった。約束されたとおりに、彼がこの先百年生きられるとしても、まったく違和感がないまでに馴染むのは無理だろう。どんな会話のときも、彼の知らない事例が引きあいに出されるし、まるっきり理解できないジョークがとびだすのだ。なお悪いことに、何か無作法をしでかすのではないか――新しい友人たちにもひんしゅくを買うような大醜態を演じるのではないかとびくびくしている……

……たとえばそれは、彼がインドラやアンダースン教授と昼食を――幸いなことに自室で――とっていたときに起こった。自動シェフから現われる食事はまったく無難なもので、彼の生理学的必要に合わせて配合されている。しかし胸おどるというようなものではなく、二十一世紀の美食家から見れば、げんなりするものかもしれなかった。

そんなある日、珍しくこってりした料理が現われ、それは若いころの鹿狩りやバーベキューの思い出を鮮やかによみがえらせた。しかしながら、味も舌ざわりもどこか慣れないものがあり、プールは当然の質問をした。

アンダースンは微笑しただけだったが、インドラのほうは数秒のあいだ、むかついたような不快そうな顔をした。やがて立ちなおり、こういった。「先生からおっしゃって――食事がすんでから」

おいおい、おれは何をまちがえたんだ？　プールは自問した。三十分後、インドラが当てつけがましく部屋の遠いつきあたりでビデオ・ディスプレイを見ている隙に、この第四ミレニアムにかんする彼の知識はさらに飛躍的な進歩をとげた。

「死骸を食べる習慣は、きみの時代のころから廃れはじめていた」とアンダースンは説明した。「動物を――うう――食うために育てるという行為は、経済的に不可能になってね。

一頭の牛に餌をやるのに何エーカーの土地が必要かは知らないが、少なくともその土地に植えた穀物で十人の人間は養える。水耕法技術を使えば、おそらく百人はだいじょうぶだろう。

しかしこの恐ろしい習慣にとどめを刺したのは、経済じゃなくて病気なんだ。はじめは牛だったが、それからほかの食用動物に飛び火した。一種のウイルスだと思うが、これが脳を冒して、無残な死を引き寄せるんだ。最後には治療法は見つかったんだが、時計の針を逆もどりさせるには遅すぎた。それにどっちみち、合成食品のほうがずっと安上がりになっていたし、どんな味を作るのも自由なんでね」

いままでの満足はいくが胸おどらない食事を思いだし、プールはこの発言に強く留保条件をつけたかった。第一、それならなぜスペアリブやコルドンブルー・ステーキに舌なめずりする夢をいまだに見つづけるのか？

だが、ほかの夢はもっとはるかにおだやかならぬもので、遠からずアンダースンに医学的な助言を求めなくてはならないと彼自身心配していた。彼の居心地をよくしようと、まわりはいろいろ気づかってくれるものの、この新世界の異様さととてつもない複雑さに、彼は押しつぶされかけていた。睡眠中は、脱出願望が無意識にあらわれるのか、しばしば昔の暮らしに回帰した。だが目覚めたときには、もっとみじめな気持になっているのだ。

アメリカ・タワーにわたり、少年時代に馴染んだ風景を、模造ではなく現実に見下ろすのは、あまり名案ではないことがわかった。大気が澄んでいるとき、光学装置の助けを借りると、個々の人びとのそばまで近づくことができ、日々の暮らしにいそしむ姿や、記憶にある道を歩いているところを見ることができた……

そして見下ろすたびに心の奥底にたゆたっているのは、自分の愛した人びとがここにかつて住んでいたという記憶――母、父（といっても、あの女といっしょに家を出ていってしまうまでだが）、やさしかったジョージ叔父、リル叔母、弟のマーティン、そしてとりわけ愛犬たち――物心ついたころに抱いた温かい子犬たちから、最後のリッキーまで。

何よりも思いだすのは――解けない謎は、ヘリーナのこと……

それは宇宙飛行士の訓練を受けている初期、ごくなにげない付き合いからはじまったが、年がたつにつれ、ますます本気になっていった。木星へ発つ直前、二人は結びつきを永遠のものにしようと考えた。彼が帰還したときには……

そしてもし帰還しなかったときのために、ヘリーナは彼の子供をほしがった。その手はずを整えるにあたって、いまでも覚えているのは、厳粛さとお祭り気分をつきまぜたようなあのときの思い……

それから千年、あらゆる手を尽くしたにもかかわらず、ヘリーナが約束を守ったのかどうか確認することはできなかった。彼自身の記憶にところどころ欠落があるのと同様に、人類の集合的記録にも欠落があるのだ。その最大のものは、二三〇四年のアステロイド落下が引き起こした大規模な電磁パルスによるもので、このときにはあらゆるバックアップや保護システムのかいもなく、世界の情報バンクのうちの数パーセントが抹消された。プールはときどきいたたまれない気持になる。彼の子供の記録も、そのとき永遠に失われた何エクサバイトという情報のなかに含まれていたのだろうか。いまこの瞬間にも、彼の三十代めの子孫が地球上を歩いているかもしれないのだ。しかし、それはもうわからない。

多少ともほっとしたのは——オーロラとはちがって——彼を不良品と見なさない女性たちもこの時代にいるのがわかったことだった。むしろ逆に、彼女たちはプールの改造部にたいへん興奮したようすを見せたが、このいささか猟奇的な反応は彼には興ざめで、親密な関係を保つことはできなかった。また彼自身もそうすることに熱心ではなかった。じっさいに必要なのは、その場しのぎの健康な運動だけであったからだ。

その場しのぎ——問題はそれだった。いまの彼に人生の目的はない。そして遠い時代の思い出は心に重くのしかかっている。少年時代に読んだ有名な本の題名をもじって、「おれは異時代の客だ」と自分のことをよく呼んだものである。

ときには展望窓から——もし医師の命令に従うなら——決して足で踏むことのできない美しい惑星を見下ろし、もう一度宇宙の真空にふれてみるのも悪くないかと思うことさえあった。警報器に見つからずにエアロックを通り抜けるのはたやすいことではないが、すでに実例はあった。何年かに一度ずつ、思いつめた自殺志願者が、地球大気に向かってつかのまの流れ星を実演するのだ。

　そろそろとんでもない方向から、救いの手が差しのべられてもよいころあいだった。

「はじめまして、プール中佐——といっても二度目だが」

「失礼——思いだせない——たくさんの人に会うものだから」

「お詫びは無用。初対面は海王星の軌道のそとでね」

「チャンドラー船長——お目にかかれて嬉しい！　自動シェフから何か取ってきましょうか？」

「ああ、アルコール分二十パーセント以上なら何でも」

「それにしても、地球へお帰りとはまたなぜ？　話では、あなたは火星軌道より内側には来ないと聞いていたが」

「それはほとんど事実でね。生まれたのはここだが、汚いし臭いところなんだ。人が多すぎる。またもや十億の大台に近づいてきた」

「昔は百億を超えていた。ところで、ぼくの〝感謝〟のメッセージは着きましたか？」

「もちろん——受けとったと連絡を入れるのが筋ですな。しかし太陽方面に行くチャンスが来るのをわざと待ったんだ。で、ここにいるという次第で。あなたの健康を祝して！」

　チャンドラー船長がみるみるグラスを飲みほす隙に、プールはこの訪問客の風采を観察した。あごひげは——チャンドラーのような小さな山羊ひげさえも——この社会ではたいへん珍しく、ひげを生やした宇宙飛行士には、ひとりも出会っていなかった。ひげと宇宙ヘルメットとは折り合いがよくないのだ。もちろん船長が船外活動をすることは何年かに一度ぐらいしかないし、どちらにしても真空中でのたいていの仕事はロボットがやる。だが予期せぬ事態が起こり、急いで宇宙服を装着しなければならない危険は常に待ちうけているのだった。チャンドラーがちょっとした変人であるのは明らかで、プールはこの男への興味がわいてくるのをおぼえた。

「それでは答えになってない。地球が好きじゃないのなら、ここでいったい何を？」

「ああ、友人たちと旧交を温めるのが主だね。一時間の遅れをとっぱらって、リアルタイムで会話できるというのはすばらしい！　もっとも、それが本目的じゃない。いまわたしの古バケツをリム造船所で修理中でね。それに装甲を張り替える必要もある。厚さ数センチに磨り減ってくると、おちおち眠れないんでね」

「装甲？」

「星屑よけさ。あんたの時代にはあまり問題にされていなかったろう？　しかしルシファーの軌道のあたりまで出ていくと、けっこうごみごみしていてね。それにわれわれのノーマルな経済速度は数千キロだからな——秒速でだぜ！　だから屋根に雨だれが落ちるみたいに、始終パタパタという低い音がしている」

「ご冗談を！」

「おっしゃるとおり。そんな音が聞こえるほどだったら、とっくに命がないよ。さいわいそういう厄介ものとはめったに出くわさない。最後に事故があったのは二十年まえだ。主な彗星流はみんな調べがついていて、塵はそこに集中しているから、こういうところは避けて通る。氷を集めるため、速度を合わせているときは別だがね。

それより、われわれがルシファーへ出発するまえに、一度来て、見物したらどうだい？」

「それは嬉しい……ルシファーはむかしの木星だね？」

「そうだが、行く先はガニメデ――そこのアヌビス・シティだ。そちらに用事が山ほどあって、そちらに住まわせている家族ともう何カ月も会っていないクルーもいる」

プールはほとんど聞いていなかった。

とつぜん――思いがけなく――しかももしかしたらいいタイミングで、生きる目的が見つかったのだ。

フランク・プール中佐は、仕事をやりかけのまま放りだすのが嫌いであり――一握りの宇宙塵に、たとえそれが秒速一千キロで飛んでいるにしても、おじけるような人間ではなかった。

かつて木星の名で知られていた世界に、やり残した仕事が待っているのだ。

第二部　ゴライアス号

14　地球よ、さらば

「理性の範囲内で――ほしいと思うものは、何でも」といわれた。フランク・プールには、彼のホストたちが木星への帰還を理性的な要請と思うかどうか確信がなかった。じっさい彼自身そのあたりがはっきりせず、自分の決断を反省しはじめていた。

すでにこの先何週間も予定は詰まっている。そのうちの大半は顔を出さなくてかまわないものだが、見送ると後悔しそうなものもいくつかあった。とりわけ出身のハイスクール――これは驚き、まだ存在していたとは！――の最上級生たちを失望させたくはなかった。彼らの来訪は来月に予定されている。

しかしながら、安堵し、少々驚きもしたことに、インドラとアンダースン教授は、いい考えだと賛成してくれた。二人が彼の精神的健康も気づかってくれていたことに、プールははじめて気づいた。地球から離れることは、おそらく最善の療法になるのかもしれない。

そして何よりも重要なことに、チャンドラー船長がこれを歓迎してくれた。「わたしのキャビンを使ってくれ。いいからいいから、一等航法士のおばさんを追いだすから」ときどきプールは、このひげ面でがさつなチャンドラー船長も、同類のアナクロニズムではないかと思うのだった。髑髏と交差する骨を絵柄にした旗がひるがえるもと、三本マストのおんぼろ帆船の船橋にチャンドラーが立っている姿を目にうかべるのはたやすかった。

いったん決断してしまうと、事態はびっくりするほどの速さで進んだ。たいした所持品をためこんでいるわけでもなく、持参したいものはなおさら少なかった。いちばん大事なのはミス・プリングルで、彼の電子的分身にして秘書、いまや彼の二つの人生の倉庫となったものであり、また彼女に付属するテラバイト・メモリのこぢんまりした束である。

ミス・プリングルは彼の時代の手にのるサイズの個人秘書とさして変わらない大きさで、ふだんは昔の西部開拓期のコルト45のように、腰に吊した早撃ちホルスターのなかに収まっている。彼女は音声でもブレインキャップからでも彼と通信ができ、最大の仕事は、彼と外世界とのあいだにあって情報フィルターとなりバッファとなることだった。出来のいい秘書の通例として、彼女は時に応じた返事を心得ている。それも適切なフォーマットで、「いまおつなぎいたします」あるいは、「申しわけございません――プールさんはいま手が離せません。メッセージをお伝えいただければ、用事が済み次第こちらから連絡をお入れしますが」ふつう、彼のほうから連絡が行くことはない。

別れの挨拶はあまり必要なかった。リアルタイムの会話は電波の速度がのろいため不可能となるが、インドラとジョー・アンダースンとは常に連絡を怠らないつもりでいた——この世界で彼がもった数少ない真の友なのだ。

いささか驚いたことに、プールは例の正体不明ながら役に立つ〝従者(ヴァレェ)〟が恋しくなりそうなことに気づいた。というのは、これ以後、毎日の雑事はみんな自分で扱わなければいけなくなるからである。別れぎわ、ダニルはかすかに会釈をしたが、ほかにこれといった感情の表出はなく、二人は淡々と、世界をめぐる環の外周、中央アフリカ上空三万六千キロの高みに昇った。

「なあ、ディム、あまりピンと来る比較じゃないと思うんだが……ゴライアス号を見て、ぼくが何を連想したと思う?」

いまではすっかり気心が通じているので、プールは船長をあだ名で呼ぶことができた——だが、そばに誰かがいないときだけに限られる(ディムには「鈍い」「ぬけな」の意味もある)。

「あまり褒めたものじゃないだろう」

「いや、そうでもないよ。ぼくが子供の時分、ジョージ叔父が読んでほうってあった古いサイエンス・フィクションの雑誌の山を見つけたんだ。〝パルプ雑誌〟と呼ばれていたな。安い紙に印刷されていたので……大半はぼろぼろになって崩れていた。どれもすばらしく派手な表紙絵がついていて、変な惑星やモンスターが描かれている。それからもちろん、宇宙船もだ！

大人になるにつれて、そういう宇宙船がいかにばかげているかがわかってきた。ふつうはロケット噴射なんだが――推進剤のタンクがどこにも見あたらないんだよ！　なかには船首から船尾まで、ちょうど海の客船みたいに、ずらりと窓が並んでいるやつもある。ひとつ気にいったのは、大きなガラスのドームを載せたやつだった。宇宙を飛ぶ温室さ……

ところが、最後に笑ったのは昔の画家たちだ。教えてやれないのが残念だよ。ゴライアス号はわれわれがケープから打ち上げていた空飛ぶ燃料タンクより、彼らが夢想した宇宙船のほうにずっと近い。いまの慣性駆動など、まだほんとうだとは信じられないよ。目に見えた支えもなく、制限なしの到達距離と速度……こっちまで夢を見ているんじゃないかと思えてくる！」

チャンドラーは笑い、そとのながめを指さした。

「これが夢みたいに見えるかい？」

スター・シティに来て以来、本物の地平線を見るのはプールにはこれがはじめてだった。だが思ったより、地平線は遠くではなかった。しかし彼がいまいるのは、地球の直径の七倍はある環の外周なのだ。とすれば、この人工世界の屋根から見たながめは、数百キロメートル先まであっていいはずだ……

彼は暗算が得意だった。彼の時代でも、なかなかできる技ではなかったが、おそらくいまできる人間はもっと少ないだろう。地平線までの距離を測る公式は単純なものだ。ルート身長の2倍かける半径――この種のことは忘れたくても忘れようがない……

さて――いまいるところは約8メートルの高さだ――するとルート16――これは簡単！――半径をざっと40000とする――下三桁のゼロを取って、全体をキロメートルにそろえる――4かけるルート40は――ふうむ――25とすこし……

なるほど、二十五キロメートルといえば相当の距離で、地球上の宇宙港もたしかにこれほど広くは見えなかった。予想はついたことだが、消えて久しいディスカバリー号の何十倍もある船が離昇する風景には目を疑った。それも音が聞こえないばかりか、何かを噴射しているようすすらないのだ。遠い昔の打ち上げ風景の火炎と轟音を懐かしく感じないわけでもないけれど、こちらのほうが汚染がなく、能率的なことは認めざるをえなかった。おまけに、はるかに安全でもあるのだ。

何よりも不思議なこと――この外縁世界、対地静止軌道そのものに居すわりながら、体の重みを感じていられるとは！　狭い展望ラウンジのそと、ほんの数メートル先では、修理ロボットや二、三人の宇宙服姿の人間が優雅に滑空しながら、仕事をこなしている。ところがここ、ゴライアス号の内部では、重力は標準火星Gを保っているのだ。

「やめる気がないのはたしかだな、プール？」チャンドラー船長はブリッジへと向かいがてら、冗談めかしていった。「離昇までまだ十分あるぞ」

「そんなことをすれば、評判は地に落ちるだろう？　やめないよ。昔からよくいわれてるように——こうなったら、あとには引けない。一か八か乗りだすまでさ」

駆動がつづいているあいだ、プールはひとりで過ごしたい気持があり、小人数のクルー——わずか男四人、女三人——は彼の申し出を尊重してくれた。みんなおそらく彼の心境を察してくれたのだろう。千年の間をおいてふたたび地球を離れるだけではない——あらためて未知の運命に立ち向かうのだ。

木星／ルシファーはいま太陽の向こう側にあり、ゴライアス号の軌道はほとんど一直線に金星に近づくものである。金星は惑星改造がはじまってすでに数世紀、地球の姉妹惑星がまさにそのヨーロッパ名〝ヴィーナス〟に値するものになっているかどうか——プールはわが目で見とどけるときが待ち遠しかった。

千キロの高みに昇ると、スター・シティは地球の赤道上空をめぐる幅広の金属バンドと見えた。そのバンドの表面には、点々とガントリー、与圧ドーム、足場組みに載った完成なかばの宇宙船、アンテナ、その他もっと謎めいた建造物がちらばっている。ゴライアス号が太陽方面をめざすにつれ、スター・シティはみるみる小さくなっていったが、そのうちこれがまったく未完成であるのが見てとれるようになった。あちこちに巨大な欠落部があり、蜘蛛の巣のような足場組みでかろうじてつながっているが、おそらく完全にふさがることは将来もないだろう。

そしていま、船はリング面の下に降りようとしていた。北半球は真冬なので、スター・シティの細い光輪は太陽に向かって二十度あまり傾いている。すでにプールの目には、アメリカ・タワーとアジア・タワーが見えてきていた。大気圏の青いもやのかなた、宇宙空間に向かってするすると伸びていくきらめく細糸。

時が過ぎるのも気づかぬうちに、ゴライアス号は速度を上げ、恒星間宇宙からやってきて太陽方面に落ちていくどんな彗星よりも速く動いていた。地球はほぼまん丸に満ちて、まだ視野いっぱいに広がっており、アフリカ・タワーが一望のもとに見えてきた。いま彼は、この人生における新しい故郷を去ろうとしている――ひょっとしたら、と考えざるをえないのだが、これが永遠の別れとなるのか。

五万キロ離れると、スター・シティの全景が、地球をめぐる扁平な楕円となって見わたせるようになった。遠い側は星空を背景に一筋の細い線となってかろうじて見える程度だが、人類がとうとう天空にこんなしるしをかけわたしたかと思うと、鳥肌が立つような思いだった。

そこで思いだしたのは、もっと限りなく壮麗な土星の環だった。宇宙工学者たちの道のりはまだまだ先が長いだろう。自然の造形の足下に近づくためには。

自然というより、正しいかどうかはともかく、ここはディアスというべきか。

15　金星面通過

あくる朝めざめたときには、船はもう金星に着いていた。しかし、いまだ雲に閉ざされた惑星は、巨大なまばゆい三日月のかたちを見せているものの、それは決して星空の花形ではなかった。ゴライアス号はいま、ちりめんのように波立つ無限に広い銀色の金属箔の上空に浮かんでいた。限りなく変化するパターンを見せ、日ざしのなかできらめく銀色の上を、船は流れていく。

そういえば、プールが生まれた時代には、建物全体をプラスチックのシートでおおう芸術家がいた。その芸術家がいま生きていたら、何十億トンという氷をかがやく袋にくるみこむこのチャンスをどんなに喜んだことか！　だが太陽方面への数十年にわたる旅で、彗星の核が蒸発してしまうのを防ぐには、じっさいこの方法しかないのだ。

「あんたは運がいいよ、フランク」とチャンドラーはいったものだ。「わたしも見たことがなかったんだ。これはきっと壮観だろう。衝突まであと一時間ちょっとだ。軽く押して、落下する位置の調整をしておいた。怪我人が出るようじゃこまるからな」

プールは目を丸くして見つめた。

「ということは——もう金星に人間が住んでいるのか？」

「マッド・サイエンティストが五十人ほどな。南極の付近だ。もちろん、危なくないように地の底にもぐっているが、多少は揺さぶられるかもしれん。といっても、衝突地点（グラウンド・ゼロ）は惑星の裏側のほうだ。というか、〝衝突空点（アトモスフィア・ゼロ）〟のほうがいいかな。衝撃波以外に地表に何かが下りてくるのは、それから何日もたってからだから」

宇宙氷山が、保護膜につつまれ、きらめき輝きながら金星へと落ちていくのを見ながら、プールはとつぜん疼（うず）くような懐かしさにとらわれた。子供のころのクリスマスツリーが、まさにこんなもので飾られていたのだ。色つきガラスのかわいい気泡。そしてこの見立ては必ずしもばかげたものではなかった。なぜなら地球では、多くの家族がいまでもこのシーズンには贈り物をする習慣で、ゴライアス号はいまひとつの世界に計りしれない価値のあるプレゼントを贈ろうとしているのだ。

痛めつけられた金星の風景——奇怪な火山、ホットケーキ形のドーム、曲がりくねる細い峡谷——がゴライアス号のコントロール・センターの大スクリーンにレーダー像となって映ったが、プールは肉眼で見るほうを選んだ。とぎれなく広がる雲海が惑星をすっぽりとつつんでいるので、その下にどんな地獄絵図が展開しているのか、ここからうかがうことはできないが、かすめとってきた彗星がぶつかるとき何が起こるのか、わが目で見とどけたかったのだ。あと何秒かのうちには、何十億トンという凍りついた水化物が、海王星から何十年かの下り坂飛行をつづけ、速度を上げてきたその勢いのまま、全エネルギーを放出する……

最初の閃光は思った以上にまぶしかった。それにしても、なんと不思議なことか、氷でできたミサイルが、何千万度という高温を発生させるとは！　展望窓のフィルターは、危険な短い波長をすべて吸収してくれるが、その火球の強烈な青い輝きは、それが太陽よりも熱いことを高らかに宣言していた。

火球はふくらみながら、たちまち冷えていった。黄色から、オレンジ色、赤へ……いまごろは衝撃波が音速でそとへと広がり――それもきっと、すさまじい音で！――あと数分もすれば、金星の雲海にその目に見えた行跡が現われるにちがいない。

ほら、あそこだ！　まだほんとにちっぽけな黒いリング――取るに足りない煙の輪のようなもので、衝突点からあらゆるものを押しのけて膨張していくサイクロン的な猛威をうかがわせるものはない。見まもるうち、輪はゆっくりと広がったが、スケールがちがうので、目に見えた動きにはならなかった。時間をまるまる一分おかないと、大きくなったという実感は持てなかった。

しかしながら十五分が過ぎるころには、それは惑星上でいちばん目立つ刻印となっていた。それよりもっと薄いが――汚い灰色で、黒まではいかない――衝撃波は、いまではさしわたし一千キロメートルほどのでこぼこの円を描いていた。プールの見るところ、もともとの真円形が崩れたのは、下にある巨大な山脈を横切ったときらしい。

チャンドラー船長のきびきびした声が、船内の呼出しシステムからひびいた。

「アフロディテ基地へつなぐぞ。ほっとしたね。助けてくれという悲鳴もなくて――」

「――すこし揺さぶられたが、思っていたとおりだ。モニターを見ると、もうノコミス山脈には雨がすこし降ってる。すぐに蒸発してしまうが、これは手始めだ。それとヘカテ峡谷には鉄砲水が出たようだ。話がうますぎて信じられないが、いま確認をとっている。前回の投下のときには、ちょっとのあいだ熱湯の湖ができた――」

彼らをうらやましいとは思わなかったが、プールはつくづく頭が下がった。この社会は精神的にたいへん安定し、暮らしも少々安楽すぎるかもしれない。だが人類のなかには、いまでも冒険精神が脈々と息づいているのだ。

「――それから、ちゃんと狙いどおりの位置に落としてくれてありがとう。運よくいけば――それに、例の太陽スクリーンをうまく同期軌道に乗せることができたら――恒久的な海が遠からずできるはずだ。そうしたら、珊瑚礁を置いて石灰を作り、大気中からよけいな炭酸ガスを除去できる……生きていてそれを見たいものだな！」

そう祈るよ。プールは無言の声援を送った。地球の南の海でたびたびダイビングを楽しみ、色も形もさまざまな生き物を見てきたプールには、どこかほかの太陽系の惑星であっても、あれほど突拍子もない生き物にめぐりあえるとはとても思えなかった。

「荷物定刻に引き渡し、受領確認」チャンドラー船長はいかにも満足げだった。「さらば、金星――ガニメデ、いま行くぞ」

ミス・プリングル
ファイル――ウォーレス

こんにちは、インドラ。そう、きみのいうとおりだ。論争が恋しいよ。チャンドラーとぼくは仲よくやっている。はじめのうちクルーの態度は――これは笑えると思うが――まるで聖遺物を扱うみたいだった。だがそのうち打ち解けてきて、いまではいいコケにされてるよ（こういう慣用句は知ってるかい？）。

いまは会話らしい会話ができないのが辛いね。火星の軌道を超えたので、電波の往復にはもう一時間以上かかる。しかし、ひとつありがたいところ――きみに口をはさまれずに済む……

木星までは一週間しかかからないが、それでもくつろぐ時間は持てると思っていた。とんでもない。すぐに指がむずむずしはじめ、勉強のやりなおしをしなくてはいられなくなった。というわけで、基礎訓練をゴライアス号のミニシャトルを使って、最初からあらためて勉強することにしたよ。ひょっとしたらディムがソロ飛行を許してくれるかも……

ディスカバリー号のポッドと広さはたいして変わらない——しかし何という違いだ！第一は、もちろんロケットを使っていないこと。慣性駆動と無限の到達距離のぜいたくさには、いつまでたっても慣れない。その気になれば、いつでも地球にとんぼ返りできるんだ。といっても多分——以前、一度ぼくが使って、きみがその意味を当てたことばを覚えているかい？——〝スター・クレイジー〟になるだろうけれど。

けれども、いちばん違うところはコントロール・システムだ。手を使わない操作にはいろいろ苦労した。コンピュータのほうも、ぼくの音声コマンドを識別できるようにならなくてはいけないんだ。はじめは五分ごとに訊かれたよ、「ほんとにそういう意味ですか？」とね。ブレインキャップを使ったほうが楽なのはわかっているが、あのガジェットはどうもいまひとつ信用できない。心を読まれているという意識があるうちは、慣れるものかどうか……

ところでシャトルはファルコンと名づけた。せっかくいい名前をつけたのに、残念ながら、人間がはじめて月に着陸したアポロ宇宙船の時代のことなど、誰も知っちゃいない……

おやおや——もっとしゃべりたいことがあったんだが、スキッパーが呼んでる。教室へもどる。愛してるよ、さよなら。

保存

伝送

こんにちは、フランク——こちらインドラ、新しい思考ライターで——まえのは神経衰弱でダウンしたので、ハ、ハ——呼びかけてます——このことばでいいのかしら？——だから、たくさんまちがいをすると思う——編集している余裕がないの。そちらで適当に解釈してね。

コムセット！　チャンネル１０３、十二時三十分から録画——訂正——十三時三十分から。失礼……

まえのやつが直るといいのに——わたしの短絡思考と省略法をみんな心得ていたの——あなたの時代の人たちがやったように、精神分析を受けてみようかしら——さっぱりわからない、あんなフロードみたいな——じゃなくてフロイトか、ハ、ハ——他愛ない学説がなぜあんなに長く（フロード Fraud はペテンの意味）——

思いだした——このあいだ二十世紀後期の定義を見つけたの——おもしろいわよ——こんな風だったかな——引用——精神分析——一九〇〇年前後、ウィーンに発生した伝染病——いまヨーロッパでは根絶されたが、金持ちのアメリカ人にはときたま発病する者もいる——引用終わり。おかしくない？

ごめんなさい、またまた——思考ライターの調子がおかしいの——狙いがぶれる——

xz　12L　w888　8****　js9812yebdc　**駄目……止まれ……バックアップ**

わたし何か変なことをやったのかしら？　再挑戦するわ。

あなた、ダニルのことをいってたわね……ごめんなさい、いつも質問をはぐらかして——興味をそそられてるのはわかっていたけど、これには立派な理由があるのよ——以前あなたが彼のことを〝からっぽ人間〟って呼んだのを覚えている？……これは正解に近いわ……

まえに近ごろの犯罪事情を聞かれたことがあったわね——わたし答えて、そういう病理学的なことに興味を持つこと——多分むかし際限なくテレビで放映されていた悪趣味な番組のせいじゃないかって——わたしなんか、三分以上見ていられたことはないわ……最低！

ドア——応えて！——ああ、こんにちは、メリンダ——失礼——すわって——もう終わるから……

そう——犯罪のこと。それはいつの時代にもすこしはある……社会のこれ以上は減らせない雑音レベル。これをどうするか？

あなたたちの解決法——刑務所。国家がスポンサーになった堕落の温床——一家族の平均収入の十倍もかけてひとりの収監者を養っていた！　まるっきり狂ってるわ……もっと刑務所を作れと大きな声をはりあげる人たちは、やはりどこかおかしいところがあったのよ——彼らこそ精神分析を受けなければ！　だけど公平に見たとして——電子モニター方式と制御法が完成するまでは、ほかに代わるものはなかった——歓喜する群衆が、刑務所の壁を打ち破っている情景を見るといいわ——それより五十年まえのベルリン以来の壮観よ！

おっと——ダニルのこと。どういう犯罪を犯したのかは知らない——知っててもいわないと思う——だけど彼の心的プロフィルが示唆するところだと、たいへん有能な——何ていったっけ？——バレエ——ちがった、従者（ヴァレェ）ね。人に仕事をやってもらうのはむずかしいのよ——もし犯罪率がゼロになったら、社会にはたいへんなことが起こる！　何にしても早く制御を解かれて、社会復帰できるようになるといいわね。

ごめんなさい、メリンダ——もうすぐ。

そういうこと、フランク——ディミトリによろしく——もうガニメデまでそろそろ半分ほど行ったでしょう——どうなんだろう、アインシュタインにさよならして、リアルタイムで宇宙交信ができるようになるなんてことがあるのかしら！

早くこのマシンがわたしに慣れてくれるといいわ。でないと、二十世紀の本物の骨董ワード・プロセッサーをさがしてまわらなければ……信じられる？——あのいまいましいキーボードまでマスターしたの。追放するのにあなたたちが二百年もかかったやつを。

愛しています、それでは。

こんにちは、フランク――またわたし。まだこのあいだの返事をいただいて……不思議なものね、あなたがガニメデに向かっているなんて、それに古い友人のテッド・カンも。でも、もしかしたらそんなに偶然ではないかも。彼もまたおなじ謎に引き寄せられているんだもの……

最初に彼のことをすこし話さないといけないわね。彼の両親は悪いいたずらをして、彼にセオドアという名前をつけたの。これは縮めれば――絶対にその名前では呼ばないでよ！――セオ。わたしのいう意味はわかるわね？（セオドアは〝神の贈り物〟を意味するギリシア語に由来する）おかげでそういうものにつき動かされているんじゃないかと思わざるをえない。宗教にあんなに興味を――というより、強迫観念を――持っている人ほかに知らないもの。警告しておくけど、ひどく退屈なときもありますからね。

ところで、わたしの考えてること通じてる？　まえの思考ライターが懐かしいけど、今度のマシンも何とかあやつれるようになってきた。まだ大きな――あなたたち何といってたっけ？――へま（ブルーパー）――不調（グリッチ）――とちり（フラッフ）は――少なくともいまのところ――

こんなことをばらしていいのか知らない、うっかりあなたがポロッといってしまったらたいへん、だけどわたしがテッドにこっそりつけたニックネームは〝最後のイエズス会士〃なの。イエズス会のことは多少知っているでしょう――あなたの時代には、まだ活発に活動していたから。

すごい人たち――けっこう大科学者もいて――ずばぬけた学者もいて――その人たちが、善行を山ほどおこなう一方で、害になることもいっぱいやっていたの。歴史上の皮肉の極致ね。誠実で天才的な知識の探究者でありながら、その哲学は救いようもなく迷信に歪められていて……

Xuedn2k3jn deer21 eidj dwpp

まっ。感情的になって、自制をなくしちゃった。1、2、3、4……さて、いまこそすべての善人が集って、党の助けをするときだ（タイプライター教習本に出てくる文例）……すこし気が楽になった。

何にしても、テッドにも似たような高邁な目的意識があるの。彼とは論争しないことをお勧めするわ――スチームローラーみたいにあなたをぺしゃんこにしてしまうから。

ところで、スチームローラーってどういうものだったの？ 衣類のしわをのばすのに使われていたやつ？ これは苦しいでしょうね、わかる……

思考ライターのこまったところ……どっちの方向へ外れるにも楽すぎること、どんなに自分を律しようとしても駄目……やはりキーボードのほうに分があるような気がするけど……それは前にいったっけ……

テッド・カン……テッド・カン……テッド・カン

地球ではいまでも彼は、少なくとも昔いった二つの名言で知られているわ。〝文明と宗教は並び立たない〟というのと、もうひとつ、〝信仰とは真実ではないとわかっているものを信じることである〟――わたし、このあとのほうは彼のオリジナルじゃないと思うの。もしオリジナルだとしたら、これは彼がつくったジョークにいちばん近いものね。わたしのお気に入りのジョークを彼に話したんだけど、にこりともしてくれなかった――あなたが知っているやつじゃなければいいけど……これ、どうやらあなたの時代にできたものらしいから……

学部長が教授会で苦情をいっているの。「きみたち科学者はなんでそんなに金のかかる器具が必要なんだ。数学科を見習いたまえ、黒板と紙くずかごだけあればいいんだ。それどころじゃない、哲学科を見ろ。あそこなぞは紙くずかごさえ要らん……」そうね、テッドはもう知ってたかもしれない……たぶん哲学者ならたいていみんな知っているかも……何にしても、テッドによろしくね――それから、絶対、絶対よ、彼と議論しないで！

成功を祈り、アフリカ・タワーから愛をこめて。

転写。保存。

伝送――プール

16 船長のテーブル

有名な客を迎えた結果、ゴライアス号の緊密な小世界にある種の秩序の混乱が引き起こされたことは否めない。だがクルーは寛大な心でこれに適応した。毎日一八・〇〇時になると、全乗員がラウンジに夕食をとりに集まった。ここはゼロGのとき、壁ぎわに均等にちらばるなら、三十人は楽に収容できる。しかしながら、船内の作業区域はたいていの時間、月の重力に合わせてあるので、壁の一面がひとりでにフロアの役を果たすようになり――八人以上集まると大混雑になってしまうのである。

食事の時間、自動シェフをかこむように広げられる半円テーブルは、首座に船長を据えて、あと七人のクルー全員がすわれるだけのスペースしかなかった。飛び入りひとりが加わることで、解決不能の問題が生じた結果、食事ごとに、誰かがひとりでテーブルにつかざるをえなくなった。和気あいあいとした話しあいの末、アルファベット順で抜けるという結論に落ち着いた。といっても、あまり使われない個人名ではなく、ニックネームのアルファベット順である。これに慣れるまでに、プールはけっこう時間がかかった。〝ボルト〟（構造工学）、〝チップス〟（コンピュータと通信）、〝ファースト〟（一等航法士）、〝ライフ〟（船医と生命維持システム）、〝プロップス〟（推進（プロパルション）&動力）、〝スターズ〟（軌道計算と航法）などである。

十日間の旅のあいだ、かりそめの仲間たちのほら話やジョークや不満を聞きながら、プールは地球での数カ月以上に、太陽系について多くのことを学んだ。船内の人びとは、このおそらくは無学な新入りが熱心に聞いてくれることにおおいに満足しているようだった。だがプールが彼らの羽目をはずしたほら話まで真に受けることはほとんどなかった。

とはいえ、真実と嘘の境目をどこに引くかむずかしいこともある。〈純金アステロイド〉の存在を信じている者はなく、これは二十四世紀ごろの作り話だと受け取られていた。しかし水星のプラズモイド生物はどうだろうか？　この五百年間に少なくとも十件あまりの目撃例が報告されている。

いちばん単純な解釈は、これを球電の仲間としてかたづけるもので、地球や火星において多数の〝未確認飛行物体〟の目撃報告の正体とされているものだ。しかし目撃者のなかには、間近で出会ったとき、彼らが目的意識を見せた――それどころか、好奇心たっぷりだったと公言する者もいた。ばかばかしい、と懐疑派は一蹴した――たんなる静電気で吸い寄せられているだけだ！

必然的に、これは宇宙における生命の論争へと発展し、気がつくとプールは――よくあることだが――鵜呑みにする派と懐疑派にまっぷたつに分かれた自分の時代を弁護していた。エイリアンはすでに地球に潜入していると主張する狂信派は、すでに彼が子供のころには少数派となっていたが、その後二〇二〇年代になっても、宇宙局は、外世界からの訪問者とコンタクトした――または拉致された――と称する狂人たちに悩まされていた。こうした妄想は、メディアのセンセーショナルな扱いによっていやがうえにも増幅され、この症候群は後世において〝アダムスキー病〟の名のもとに医学文献に永遠に記されるまでになった。

TMA・1の発見は、逆説的なかたちで、この悲しむべきたわごとに終止符を打った。この宇宙のどこかにたしかに知的生命は存在するものの、すでに数百万年、人類にかまってはいなかったらしいという事実が明らかになったのである。一方、つぎのような理論を立てる派、すなわち――生命がバクテリア以上に高度に進化するというのはまずありえないことであり、したがってこの銀河系において――大宇宙となればともかく――人類はまったくユニークな存在である――そう主張する一握りの科学者も打ち破られた。

ゴライアス号のクルーは、プールの時代については、政治や経済よりもテクノロジーのほうに関心があり、ことに彼が生きていた時代に起こった革命に魅了されていた。真空エネルギーの開発が触発した化石燃料時代の終焉である。彼らが信じきれないのは、スモッグに窒息しかけた二十世紀の都市群と、石油時代の浪費、欲望、それにあきれるばかりの環境災害だった。

「ぼくを責めないでくれ」批判の総攻撃にひとしきり耐えたあげく、プールはいった。

「何にしろ、二十一世紀がもたらした惨状を見てほしいね」

テーブルの周囲で「それはどういうことだ?」の一大合唱が起こった。

「つまりだね、いわゆる無限動力の時代がはじまって、誰もが安価できれいなエネルギーを何千キロワットと自由にできるようになるやいなや——わかるだろう、何が起こったか?」

「ああ、熱危機ね。だが、あれはかたづいた」

「最後はね。地球の半分を反射膜でおおって、ようやく太陽熱を宇宙に返したんだ。でなければ、いまごろは金星並みに茹だってる」

クルーが第三ミレニアムの歴史に暗いのは驚くばかりで、プールが——スター・シティで受けた集中教育のおかげで——自分の時代より何世紀もあとに起きた事件をくわしく語ってみせると、クルーのほうがあっけにとられることもしばしばだった。しかしながら嬉しいことに、彼らはディスカバリー号の日誌にはよく通じていた。それは宇宙時代の古典的な記録のひとつとなっていたからだ。彼らからすれば、それはバイキングのサーガとおなじくらい価値のあるものだった。しばしば痛烈に思い知らされるのだが、彼の生まれた時代は、最初に大西洋をわたったバイキング船とこのゴライアス号との、時代的にはまさに中間にあたるのだった。

「第八十六日だったが」五日めの夕食の席で、スターズがこれを話題にした。「ディスカバリー号は7794という小惑星から二千キロ以内のところを通過した。探査体を発射しているね。覚えているか？」

「もちろん覚えているとも」プールはいささか憮然として答えた。「ぼくからすれば、一年たらず前にすぎないからね」

「うむ、失礼。いやね、明日は13445にもっと近づくんだ。ちょっと見物するかい？自動誘導システムと静止画面で、たっぷり十ミリセコンドの観測時間が持てる」

百分の一秒とは！ディスカバリー号のあの数分間はてんてこ舞いだったが、いまは何もかもがその五十倍の速さで起こるのだ……

「その大きさは？」とプールはきいた。

「三〇×二〇×一五メートルだ」とスターズ。「傷だらけの煉瓦みたいな格好をしているよ」

「残念だが、われわれは弾丸を撃ちこむわけじゃないんだ」とプロップス。「7794が反撃してくるとは考えなかったかい？」

「それは夢にも思わなかった。しかし天文学者には役に立つ情報がいろいろ得られたんで、危険を冒しただけのことはあったよ……何にしても、百分の一秒ではそこまで気にする必要はなさそうだね。しかし、とにかくありがとう」

「わかるわ。小惑星をひとつ見たら、全部見たのと——」

「それは違うぜ、チップス。おれがエロスにいたころ——」

「その話は少なくとも十回以上は聞いて——」

プールの心が議論から遠のいたので、それは背景にある無意味なノイズとなった。彼は千年の昔にさかのぼり、ディスカバリー号のミッションのなかで唯一の出来事——あの最後の悲劇に先立つイベントを思いだしていた。７７９４が生命も大気もない石くれであることは、彼にもボーマンにもわかっていた。しかし、だからといって感慨が弱まるものではなかった。それは木星への道のりで二人が出会う唯一の実体ある存在であり、二人は、長い航海の途中、上陸のかなわぬ海岸の近くを通りかかった船乗りのような気持でその岩を見まもった。

岩はゆっくりととんぼ返りを打っており、表面には光と影のまだらがとりとめもなくちらばっていた。ときどき遠い窓のようにきらめくのは、結晶性の鉱物の平地か露頭が、日の光できらめいているのだ……

狙いが正確なのかどうか、見まもるあいだに高まっていく緊張も、いま彼の記憶によみがえっていた。二千キロのかなた、毎秒二十キロメートルの相対速度で飛んでいる標的なのだ。これを狙い撃ちするのはたやすいことではない。

そのとき小惑星の暗い部分で、とつぜん目もくらむような光の爆発が起こった。小さな弾丸——純粋なウラニウム238——が流星そこのけの速さで衝突し、ほんの一瞬のうちに全運動エネルギーを熱に変換したのだ。白熱したガスがつかのま宇宙空間にほとばしった。船内ではカメラの放列が、見るまに薄れていくスペクトル線を記録し、原子の放つあらわな光の署名をさがしていた。数時間後、地球では、天文学者たちが小惑星外殻の組成をはじめてつきとめた。大きな発見はなかった。だがシャンパンのびんが数本手から手へわたった。

チャンドラー船長自身は、この半円テーブルを囲んで戦わされる民主主義的な論争にはほとんど加わらなかった。クルーがみんなくつろぎ、打ち解けた雰囲気のなかでのびのびと思いを吐きだしていれば、それで満足なようだった。暗黙のルールがひとつあった。食事どきにまじめな話題を持ちださないこと。技術や業務にかんする問題が仮にあったとしても、それはどこか別のところで扱わねばならない。

プールがびっくりした——また少々ショックを受けた——のは、クルーがゴライアス号のシステムのことをごく表面的にしか知らないことだった。簡単に答えられそうな質問なのに、船のメモリバンクに問い合わせなければならない羽目になることも多かった。だが、しばらくするうち、彼が受けたような徹底した訓練は、いまの時代には不可能なことがわかってきた。システムの数が多すぎて、人間ひとりひとりにはとてもマスターしきれないのである。さまざまな方面の専門家たちがいるが、みんな自分の用具が何をするかを知っているだけで、その知識は仕組みにまでは及んでいなかった。信頼性は、冗長性と自動チェックにまかせられており、人間の干渉は百害あって一利なしなのだ。

さいわい、この旅では何も必要はなかった。スキッパー誰もが望むような平穏無事な旅がつづくうち、新しい太陽ルシファーが行くての宇宙空間を占拠しはじめた。

第三部　ガリレオ四大世界

（『ツーリストのための外惑星ガイドv.219・3』から抜粋。テキストのみ）

今日にいたっても、かつての木星の巨大衛星は、われわれに大きな謎をつきつける。なぜその四つの世界は、おなじ主天体をめぐり、大きさもほぼ同等でありながら、それ以外の多くの点でこれほど異なっているのか？

いちばん内側の衛星イオにだけ、筋のとおった説明が成り立つ。木星にあまりにも近いため、重力潮汐作用がその内部を絶えずこねまわし、大量の熱を生みだしているのだ。その熱があまりにも大きいため、イオの地表はなかば溶けた状態にある。事実、そこは太陽系中で火山活動のもっとも盛んな世界であり、イオの地図はわずか数十年の半減期しかない。

環境が不安定なので、恒久的な基地が置かれたことはなかったが、着陸は数多く、ロボットによるモニターもつづけられている（二五七一年の調査隊がたどった悲劇的な運命については、「ビーグル5号」を見よ）。

木星から二番めにあるエウロパは、元来は全表面が氷におおわれ、複雑な網目状のひび割れのほかには、これといった特徴は見られなかった。イオで猛威をふるう潮汐力は、エウロパではそれほど強くははたらいていないものの、そこから生じる熱によって全土に水の海があり、不思議な生命形態が多数発生していた（宇宙船「チエン号」「ギャラクシー号」「ユニバース号」を見よ）。木星が小太陽ルシファーに変わって以来、エウロパをおおう氷の殻はほとんどすべて溶け、大規模な火山活動によって小さな島がいくつか生まれている。

周知のように、すでに一千年近くエウロパに宇宙船は降りていないが、監視の目はつねにこの衛星に向けられている。

太陽系中で最大の衛星ガニメデ（直径五二六〇キロメートル）も、この新太陽が現われたことで影響を受けた。赤道地帯は、地球型の生命が生きられるほど暖かいが、現段階では、大気はいまだ呼吸できるようなものではない。ここに居住する人間の大半は、テラフォーミングと科学調査に積極的にたずさわっている。最大のコロニーはアヌビス・シティ（人口四万一〇〇〇）で、南極に近いところにある。

カリストは前三者とはまったく違う。その全地表は、ありとあらゆる大きさの衝突クレーターにおおわれている。あまりにも数が多くて、重なりあうものもあるほどだ。隕石の落下は何千万年もつづいていたにちがいない。なぜなら、新しいクレーターは古いクレーターをすっかり消し去っているからである。カリストに恒久基地はないが、現在では自動ステーションが数基設置されている。

17 ガニメデ

フランク・プールが寝ぼうをするのは珍しいことだったが、昨夜は奇妙な夢がつぎつぎとわきあがり、ずっと眠れずにいたのだ。過去と現在がとりとめもなく入り混じっていた。ディスカバリー号にいたと思えば、アフリカ・タワーにいる――またときには子供に帰り、すっかり忘れていた友人たちに囲まれていた。

ここはどこだ？　と問いかける。水面に浮きあがろうとするスウィマーのように、目覚めようともがいた。ベッドのすぐ上に小さな窓があり、カーテンがかかっているが、光をさえぎってしまうほど生地は厚くない。ひところ、二十世紀の中葉、航空機がまだのんびり飛んでいたころには、ファースト・クラスが睡眠をとる設備を売り物にしていた。プールが大人になってからも、一部の旅客機会社ではまだ宣伝をやっていたが、彼自身はこのノスタルジックな贅沢を味わったことがない。しかし、いま体験していると想像することはたやすかった。

彼はカーテンを引っぱり、おもてをのぞいた。そう、ここが地球の空ではないのはたしかだが、眼下を流れていく風景は、南極圏と似ていなくもなかった。しかし南極には二つの太陽などあるはずがなく、いまゴライアス号は、空に昇ったばかりの両太陽に向かってまっしぐらに飛んでいるのだ。

船がいまある軌道は地表からわずか百キロメートル足らずの上空だが、眼下にはだだっぴろい耕された畑と見えるものがあり、ほのかに雪をかぶっていた。だが耕夫が酔っていたのだろう――それとも誘導システムがいかれていたのか――鋤(す)き跡はあらゆる方向にのたうち、交差したり逆もどりしているものもあった。ところどころ地面には、うっすらとした輪がちらばっている。はるかな昔、隕石が衝突してできたクレーターの痕跡だ。

そうか、ここはガニメデか。プールはうつらうつらしながら思った。地球からいちばん遠い人類の前進基地！　いったい分別ある人間なら誰がここに住みたがるだろう？　もっとも、真冬のグリーンランドやアイスランドの空を飛んだときも、よくおなじことを考えたものだが……

ドアにノックがあり、「はいっていいかな？」と声が聞こえ、返事を待つこともなくチャンドラー船長が現われた。

「降りるまで起こさないでいようと思ったんだがね。終着パーティは、予定より長くつづきすぎたが、途中で打ち切って反乱を起こされたくはないし」

プールは笑った。

「宇宙で反乱が起こったことは？」

「ああ、ずいぶんある。しかしわたしが生まれて以降はないよ。その話題が出たからいうが、その伝統を創始したのはハルで……失礼——いや、これはいわないほうが——おっと——ガニメデ・シティが見えてきた！」

地平線上に現われたのは格子模様を描く街路だった。大小の道がほぼ直角に交差しているが、あちこちに見えるかすかな不連続性は、拡張に継ぐ拡張をくりかえしてきたコロニーに典型的なもので、集中的な都市計画がなかったせいだ。市街を二分して大河が流れ——そういえばガニメデの赤道地帯はいま、液状の水が存在するほどの暖かさなのだ——プールは中世のロンドンを描いた木版画を思いだした。

やがてチャンドラーの愉快そうな視線に気づき……〝シティ〟の大きさに思いあたるにつれ、幻覚は消えた。

「ガニメデ人は大柄な生物だったらしいね」プールはとぼけていった。「あの道路は五キロか十キロも幅がありそうだ」

「ものによっては二十キロもあるよ。壮観だろう。これも全部、氷が伸びたり縮んだりした結果だ。自然の妙技には舌を巻く……もっと人工的に見えるパターンも機会があったらお目にかけるよ。これほど大きくはないがね」

「子供の時分、火星に人面岩があるということで大騒動があったな。もちろん、小さな山が砂嵐のおかげでそう見えたんだが……地球の砂漠にも似たやつはいっぱいある」

「歴史はくり返すという名言はなかったっけ？　ガニメデ・シティについてつまらない説がたってね。これは異星の生物がつくったものだと一部の変わり者たちがいいだした。しかし残念ながら、そう長くはもたないだろう」

「なぜ？」プールは驚いた。

「もうこわれだしている。ルシファーが万年氷を溶かしているんだ。あと百年もしたら、おなじガニメデだとは思えないだろう……ギルガメシュ湖の岸が見える。よく目をこらして——右側ずっと——」

「なるほど、あれか。何が起こってる——沸騰しているわけじゃないだろう、こんな低い温度では？」

「電気分解工場さ。毎日毎日いったい何千万キログラムの酸素をつくってることか。もちろん水素は立ちのぼって宇宙に消えてしまう。というか、そう期待しているがね」

チャンドラーの声が小さくなり、途切れた。ふたたび口を開くと、珍しくはにかみがちにつづけた。「この満々とした美しい水——ガニメデ自体はこの半分も必要ないんだ！　外聞をはばかる話だが、あの一部を金星に運んでいこうといろいろ手を考えているんだよ」

「彗星を押していくより楽かい？」

「エネルギーだけでいうなら、そうだ。ガニメデの脱出速度は秒速たった三キロしかない。それに、時間的にもっともっと早い——何十年という期間じゃなく何年だ。だが実行するには、いくつかむずかしい問題が……」

「苦労はわかる。機材打ち上げ装置（マス・ローンチャー）を使うのかい？」

「いや、ちがう——大気圏を突き抜けるタワーを使うんだ。地球にあるやつとおなじだが、もっと小さい。てっぺんまで水を汲み上げて、絶対零度近くまで凍らせ、ガニメデの自転を利用して投げ飛ばす。移送中に蒸発して目減りはするが、おおかたは到着する——何がおかしい？」

「失礼——アイデアを笑ったんじゃない——ちゃんと筋は通ってる。しかし、おかげで思い出が鮮やかによみがえった。むかし、噴射水流の力でぐるぐるまわるガーデン・スプリンクラーがあったんだ。おなじことをあんたは計画しているんだ——もっとはるかに大きいスケールでね……世界を丸ごとひとつ使って……」

とつぜん、また別のむかしの情景が、ほかの何もかもを消し去った。あの暑いアリゾナの日々、ゆっくりと回転するガーデン・スプリンクラーの水を浴びながら、動く霧の雲のなかで愛犬のリッキーと追いかけっこをしてはしゃいだことを思いだしたのだ。

チャンドラー船長は見かけよりずっと繊細な男であり、引きぎわを心得ていた。

「ブリッジにもどらなければ」とチャンドラーがぶっきらぼうに。「アヌビスに着いたら、また会おう」

18　グランド・ホテル

グランド・ガニメデ・ホテル――当然の成行きとして、太陽系では〝ホテル・グラニメデ〟の名で知れわたっている――は、たしかに壮大(グランド)ではなく、地球で星ひとつ半の評価がつけば幸運というものだった。いちばん近い競争相手は、数億キロメートルかなたなので、経営者側はむやみとがんばる必要を感じないのだ。

ホテルに対する不満はプールには何もなかったが、ダニルがそばにいてくれたらと思うことはよくあった。ダニルがいれば、機械的な生活面でおおいに役に立つし、周囲にある半利口な装置ともっと楽に心を通わせられるようになるからだ。短時間だがパニックはすでに経験済みで、それは（人間の）ベルボーイが荷物を置いて、部屋から出ていった直後に起こった。そのベルボーイは有名な客にすっかり気圧(けお)され、ルームサービス機構がどういう仕組みになっているか説明するのを忘れてしまったのだ。うんともすんともいわない壁に向かって、五分ほど空(むな)しく話しかけたあと、プールは自分の訛りとコマンドを理解してくれるシステムのひとつとやっと連絡をとった。へたをすれば、《オール・ワールズ》

のニュースでどんな取り上げられ方をしていたことか。「よみがえった宇宙飛行士、ガニメデ・グランド・ホテルの一室から出られず餓死！」

おまけに、これでは二重の皮肉になっていたところだろう。グラニメデ唯一のVIPルームに〝ボーマン・スイート〟の名がついたのは当然としても――はいったとたん、昔の同僚のユニフォーム姿の等身大ホログラムに出くわしたのには肝をつぶしたものだ。プールには、その映像は見覚えがあった。ミッションに飛びたつ数日まえのことで、そのとき彼自身の公式ポートレートもいっしょに撮影されたからである。

事情がはっきりするにつれ、ゴライアス号のクルー仲間はたいていアヌビス・シティに所帯やそのたぐいを持っていて、予定された二十日間の停泊期間中に、プールを大事な身内や友人たちにできるだけ引き合わせようとした。一息つくひまもなく、プールは辺境コロニーの公的・私的つきあいに巻き込まれ、いまではアフリカ・タワーこそが遠い夢のなかにあるようだった。

アメリカ人によくあるように、プールは、住民がみんな知りあいであるような小さなコミュニティ――といっても現実世界においてであって、サイバースペースのバーチャル環境ではない――にひそかな郷愁を抱いていた。アヌビスは、思い出のフラグスタッフよりもっと人口が少ないこともあり、この理想に遠くない町といえた。

三大与圧ドームは、どれも直径二キロメートル。台地の上にあり、地平線までとぎれなくつづく氷原を見下ろしていた。ガニメデの第二の太陽――むかし木星の名で知られた星――は、極冠を溶かすほどの熱は送ってこない。アヌビスが荒涼とした場所に建設されたいちばんの理由はそれで、少なくともあと数百年は、都市の地盤が崩れるおそれはないのである。

そしてドームのなかでは、外界のことをまったく気にせずに暮らすことができた。いったん部屋のメカニズムが呑みこめてくると、ボーマン・スイートには種類は限られるが、すばらしい環境が取り揃えられていることがわかった。太平洋の浜辺で椰子(やし)の木かげにすわれば、おだやかな潮騒が聞こえ、気がむけば、熱帯のハリケーンの咆哮のまっただなかに身を置くこともできる。ヒマラヤの尾根に沿ってゆっくりと飛んだり、火星のマリネリス峡谷の雄大な谷間へ舞い降りるも自由。ベルサイユの庭園を散策し、半ダースの大都市の、それも歴史上さまざまな時代にある街路を歩くこともできた。たとえグラニメデが、太陽系中でもっとも評価の高いリゾートではないにしても、それが誇る設備は、地球上にあるすべての有名ホテルを驚嘆させるものだった。

しかし太陽系を半分も横断して、異様な新世界を探訪に来たのに、地球のノスタルジアにひたるのはばかげていた。あれこれ試したのち、プールはひとつの妥協点を見いだした。娯楽――ならびにインスピレーションの鼓舞――は、ますます少なくなる暇な時間だけとしたのである。

残念なことにエジプトへは行ったことがなかったので、スフィンクスに見つめられながら――論議を呼んだ〝復元〟のまえの姿だ――くつろぎ、観光客たちが大ピラミッドの巨大ブロックをよじ登る姿をながめるのは快感だった。幻影は見事なものだったが、砂漠がボーマン・スイートの（かすかにすりきれた）絨緞とぶつかるところでは、狭い空白部が生じていた。

しかしながら空は、ピラミッドの最後の石がギザに置かれて後さらに五千年が過ぎるまで、人類が目にしたこともないものだった。だがこれは幻影ではない。変化してやまない複雑なガニメデの現実の一部なのだ。

この世界は――仲間の衛星とおなじく――木星の潮汐力によってはるかな過去に自転力を失ってしまったため、巨大惑星から生まれ変わった新しい太陽は、空の一点にじっとかかったままだった。ガニメデの片面はルシファーの変わらぬ光のなかにあり、あとの半面はしばしば〝夜の国〟と呼ばれているが、この名称はかつていわれた〝月の暗黒面（ダーク・サイド）〟（地球からは月の裏側が見られないため、英語ではこう呼ばれた）とおなじように的はずれだった。月の裏側と同様、ガニメデの〝夜の国〟も、その長い一日の半分は、昔ながらの太陽（ソル）のまばゆい光に照らされているのである。

便利というより厄介な偶然というべきだろうが、ガニメデは主天体のまわりをちょうど一週間――七日と三時間――かけて一周する。かつては〈一メデ日＝一地球週〉のカレンダーをつくる動きもあったが、たいへんな混乱を招いたため、ここ数百年は見向きもされていない。太陽系のどことも変わりなく、ガニメデ住民も国際時間を採用し、二十四時間標準日をそれぞれ曜日ではなく、数字で数えていた。

ガニメデの新しい大気はまだたいへん薄く、雲らしい雲もできないため、空にくりひろげられる天体のパレードは見飽きることがなかった。最接近するとき、イオとカリストはどちらも地球から見る月の半分ほどの大きさになる。だが共通するのはその点だけ。イオはルシファーのすぐ近くにあるので、軌道を一回りするのに二日足らずしかかからず、数分もあれば目で見てとれるほど動きは速かった。一方カリストは、イオの四倍も遠くにあるので、二メデ日――というか、十六地球日――かけて、のんびりと一周を終える。

この二世界の実質的相違は、それ以上にめざましいものだった。厚い氷に閉ざされたカリストは、木星がミニ太陽に生まれ変わった後もほとんど変化していなかった。いまでもそこは、氷結した浅いクレーターの群れる荒れ地であり、隕石の衝突に絶え間なくさらされつづけたように、クレーターが幾重にも密集していた。木星と土星の巨大な重力場がはりあい、浮遊物質を奪いあっていた時代の名残である。以来ときおりの流れ弾をのぞけば、この数十億年、カリストの地表には何も起こっていない。

イオでは何事かが毎週起こっていた。ルシファーの出現以前から地獄だったが、地元の才人にいわせれば――いまそこは、二番煎じ(ウォームド・アップ)の地獄(もうすこし字義どおりに訳せば、焼直しの地獄)だった。

しばしばプールはその燃えさかる風景をクローズアップし、活発な火山群が、アフリカより広大な地域を絶えず造成しなおしている現場をのぞきこんだ。ときには短時間ながら、白熱した噴泉が宇宙空間へ百キロ近くも立ちのぼり、巨大な火の樹木が死の世界に生えたかに見えることもあった。

溶けた硫黄が火山や裂孔からあふれだすにつれ、この万能元素は赤、オレンジ、黄の狭いスペクトルをわたり、カメレオンさながらさまざまな色の同素体へと変わっていく。宇宙時代の夜明け、このような世界が存在するとは誰ひとり夢想もしていなかった。いまのような安楽な位置からながめるかぎり、たしかに絶景ではあるものの、ロボットさえ踏むを恐れるあんな場所に、なぜ人間が降りようとするのか、プールにはさっぱり理解できなかった……

しかし最大の関心はやはり例の天体——最接近時には地球の月とおなじくらいの大きさに見え、わずか四日間で満ち欠けを終えるエウロパだった。好みの風景は象徴性などはまったく意識せずに選んだが、いまになると、空に浮かぶエウロパの下にもうひとつの巨大な謎——スフィンクスがあるという図は、なかなか当を得たものといえた。

千年まえ、ディスカバリー号が木星に飛びたったころと比べて、エウロパがどんなに大きく変化したかは、倍率を上げず、目視でのながめを選んでもはっきりと見てとることができた。このいちばん小さいガリレオ衛星の表面は、かつては大小の線条で蜘蛛の巣のようにおおわれていたものだが、いまそれは両極にしか残っていない。ここでは厚さ数キロもの氷が、新しい太陽の熱にさえ溶けずに残り、そのほかのところでは生まれたばかりの大海が、地球なら快適な室内温度にあたる薄い大気のもとで逆巻き、沸騰しているのだ。

それはまた、現われでた生き物たちにとっても快適な温度であり、彼らを守り閉ざしてきた永遠の氷が溶けだすと、あとは一気だった。上空をめぐるスパイ衛星が、わずか数センチの物体までとらえる性能を利して、エウロパ生物の一種が両生類のレベルに進化しているのを観察した。水中で過ごす時間はあいかわらず長いが、〝エウロパ人〟たちは簡単な建築まではじめていた。

こんなことがわずか千年のうちに起こるというのは驚きだが、その秘密が、最後にして最大のモノリスにあることを疑う者はなかった――ガリリー海のほとりにそびえる長さ数十キロメートルの〈グレート・ウォール〉である。

そしてまた、モノリスが何らかの目的をもち、この世界ではじめた実験の成行きを見守っていることを疑う者もなかった――ちょうど四百万年まえの地球の場合とおなじように。

19　人類の狂気

ミス・プリングル
ファイル──インドラ

愛するインドラ──音声メールも出さなくてごめん。いつものとおりの言い訳なので、ここでは省くよ。

きみの質問に答えると──うん、いまではグラニメデにもすっかり馴染んだが、ここで過ごす時間はますます短くなっている。だがスイートに引いた宇宙のディスプレイには楽しませてもらってる。昨夜はイオ電磁束管（フラックス・チューブ）がすばらしい動きを見せてくれた。これはイオと木星──じゃない、ルシファー──とのあいだで起こる稲妻みたいな放電現象のことだ。地球のオーロラと似たようなものだが、もっと壮観だよ。電波天文学者がこれを発見したのは、ぼくが生まれるまえのころだ。

昔を引きあいに出すとすれば──アヌビスに保安官（シェリフ）がいたというのは知ってたかい？フロンティア・スピリットを売り物にするのはいいけど、これはやり過ぎだと思うね。祖父が話していたアリゾナの昔話を思いだしたよ……ガニメデの連中にも話してやらなくちゃ……

これはバカな話に聞こえるかもしれない――まだボーマン・スイートに慣れない。つい後ろをふりかえってしまう……

どうやって、毎日過ごしてるかって？　アフリカ・タワーにいたときと変わりないよ。地元のインテリたちとはよく顔を合わせるが、想像がつくように数が足りない（盗聴されていなければいいが）。それに教育システムとも――本物とバーチャル両方で――対話してみたが、こちらはたいへん反応がいい。ただし、きみから見れば、技術面に偏りすぎているだろう。もちろんこれは仕方がないことだ、この過酷な環境ではね……

だが、なぜ人間がここに住むか、理解する助けにはなった。地球にはまずない努力目標――生きがい、といってもいい――が見つかるんだ。

じっさいガニメデ住民のほとんどはここで生まれているので、ほかに故郷というものはないんだ。気をつかって口には出さないが、母星は堕落しはじめていると彼らは考えているよ。きみはどうだい？　もし認めるとしたら、きみたち地球人――地元民はそう呼んでいるが――は、どういう手を打とうとしている？　ぼくが会った十代の学級では、きみたちを覚醒させようとしていたよ。周到なトップ・シークレットの地球侵略計画を練っている。さあ教えたからな。知らなかったとはいわせないぜ……

一度アヌビスのそとへ旅行に出たよ。いわゆる〝夜の国〟――ルシファーが照らさない世界への旅だ。一行は十人――チャンドラー、ゴライアス号のクルー二人、現地のガニメデ住民六人で裏側へ向かい、沈む太陽を追いこんだので夜になった。ものすごいったら――地球の極地の冬に似ているんだけれど、空が完全にまっ黒で……宇宙空間に浮かんでいるような気がしたよ。

ガリレオ衛星がみんな手に取るように見え、エウロパがイオを掩蔽するのを――じゃない、食するのを――観察したよ。もちろん、これを見物できるようなタイミングをとって出かけたわけだが……

小さな衛星もいくつか見えたけれど、もっと目立っていたのが地球＝月の二重星だ。ホームシックになったかって？　率直にいって、それはなかった――といっても、そちらの新しい友人たちが懐かしかったがね……

それから、すまない――まだカン博士に会っていないんだ。彼のほうからはいくつかメッセージがとどいてるけどね。この二、三日中に会うと約束する――地球日だ、メデ日じゃないぜ！

ジョーによろしく――ダニルにもね、もし彼のその後を知っていたらだが――もう普通人にもどったんだろうか？――それから、きみを愛してる……

保存

プールが生まれた時代には、人の名前から彼なり彼女なりの外見はある程度想像がついたものだが、三十世代のちのいまでは、その考えは当てはまらなかった。セオドア・カン博士は北欧系のブロンド。中央アジアのステップ地帯を荒らしてまわるよりは、バイキングの長船（ロング・シップ）に乗っているほうがずっとはまりそうだった。ところが彼はどちらの役でもあまり見栄えがよくなかった。身長が百五十センチしかなかったからである。そうなれば、プールとしても当然アマチュア精神分析がしたくなる。小柄な人たちは、過度ながんばり屋であることが多い。しかもそれは、インドラ・ウォーレスがほのめかすところによると、ガニメデ唯一のこの駐在哲学者にぴったりのイメージであるらしい。しかし実際的な考え方が優位を占める社会では、そういう資質がカンには必要だったのだろう。

アヌビス・シティはあまり広くはないので、大学キャンパスは持てなかった。遠距離通信革命により、すっかり廃（すた）れてしまったと信じている人びとは多いが、キャンパスはほかの世界にはいまだに残っている贅沢品なのである。その代わり、アヌビス・シティにはもっと似合いで、もっと由緒正しいものがあった。すなわちアカデミーで、オリーブの木立さえ揃い、通り抜けようとさえしなければ、プラトンさえだまされかねない。インドラがいう哲学科では黒板以外に何の道具もいらないというジョークは、この凝りに凝った環境には当てはまらなかった。

「ここの収容人員は七人でね」とカン博士が自慢そうにいい、二人は見るからに安楽そうには設計されていない椅子に腰を下ろした。「なぜかというと、人が無駄なく相互に意見を交わすことのできる最大限の人数だからさ。もしこれにソクラテスの幽霊を加えれば、ファイドンがあの有名な演説をしたとき出席していた人数になる……」

「魂の不死性を語ったやつ？」

カンが見た目にもびっくりした顔をしたので、プールは吹きださずにはいられなかった。

「卒業の直前に、哲学の特訓コースを取ったんでね。教授細目が決められたとき、われわれむくつけきエンジニア連中も、すこしは文化にふれる必要があると思いついた教授がいたらしくて」

「それはうれしい。話がしやすくなる。こんな幸運に恵まれるとは、まだ信じられないよ。プール中佐ご本人がわざわざこちらに足を運んでくれるとは、ほとんど奇跡を信じたくなる！　会いたくて、こちらから地球へ出向こうと考えていたくらいだ。インドラから聞いているかい、わたしが——うう——取り憑かれている研究のことは？」

「いや」とプールはあまり正直ではない答えを返した。

カン博士は満足そうだ。新しい聴衆ができ、うれしくてならないらしい。

「もしかしたらわたしのことを無神論者だと聞いているかもしれないが、それは正しくない。無神論は証明できない、つまらんものだ。いくら眉唾に思えても、神がかつて存在したという確証は持てないんだ。存在したが、いまは無限のかなた、誰も手のとどかないところへ飛んでいってしまったとか……ゴータマ・ブッダとおなじように、この問題にはわたしは中立だ。わたしの専門は、宗教という名の精神病理だよ」

「精神病理？　それはまたきびしい判定だ」

「歴史がたっぷり証明しているよ。きみが宇宙からやってきた知的な生物で、検証可能な真実だけに関心を持っていると仮定してみよう。きみはひとつの動物種を見つけたが、その種は宇宙の成立ちやそのなかでの生き方について、とんでもなくばらばらな信念を持つ何千――いや、いまでは何百万だな――という部族に分かれていた。そのうちの多くはいろいろ共通する観念を持っているんだが、九十九パーセント重なりあう場合でも、残りの一パーセントがちがえば、外部の者にはちんぷんかんぷんの細かい教義のずれをめぐって、殺しあいや拷問までしてしまう。

こういう道理のわからない行動をどう解釈する？　ルクレティウスが宗教は恐怖の副産物――謎めいた、ときには敵意すらある宇宙への反発だといったとき、彼はまさに的を射ていたんだ。なぜなら前歴史時代のおおかたでは、宗教は必要悪だったんだからね――しかし、なぜ必要という以上に悪だったのか――なぜ必要がなくなったあとにも生きつづけたのか？

いま悪といったが、これは本気だよ。恐怖は残酷さに結びつくからだ。異端審問のことをすこしかじっただけでも、人類の一員でいることに嫌気がさしてくる……史上もっとも不快な本のひとつに『魔女の鉄槌』（十五世紀末、ケルンで出版された魔女弾圧の書）がある。二人の倒錯的なサディストが書いたもので、教会が承認した――奨励した！――拷問の方法をかかげ、虫も殺さぬような何千人もの老女から〝告白〟をしぼりだし、生きながら火あぶりにした……ローマ教皇が推薦の序文まで書いている！

しかしほかの宗教も、なかにはりっぱな例外もいくつかあるが、キリスト教とおなじように悪い……きみの時代にもあったよ。幼い少年たちが鎖につながれ、鞭で打たれながら、聖なるたわごとを強制的に暗記させられ、青春も何もかも奪われ、修道僧に仕立てあげられていた……

この問題のいちばん困ってしまうところは、明らかな狂人たちが、いつの時代にも、神のことばを受けとったと――それも自分だけ！――公言してはばからなかったことだ。そういうことばがみんな合致するなら、それでけりがつく。ところがもちろん、不協和もいいところ。そのくせ自称救世主たちが何百人――場合によっては何百万――という信者を集めるのに何の障害もなく、その連中が顕微鏡的なちがいしかない教義にたぶらかされた別の宗派の信徒と死ぬまで争いあう」

プールはそろそろ口をはさむときだと感じた。

「その話で、子供のころ故郷の町で起こった事件を思いだしたな。聖者が――これは自称だがね――集会を開いて、奇跡を起こすといいふらし、あっという間に熱心な信者をかき集めた。それも無知や無学の輩じゃない。いい家柄の者もたくさんいた。日曜になると、その男の――うう――寺院のまえに、高級車がずらっと並んでいたのをよく見かけたよ」

「それは〈ラスプーチン症候群〉と呼ばれているやつだ。あらゆる国で、歴史を通じて、症例がごまんと出ている。そのなかで千に一つかそこらのカルトは、二世代ぐらい長くつづく。その症例はどうなった？」

「競争相手がたいへん不愉快がって、みごとに足を引っぱったね。名前が思いだせない――長たらしいインド名前の――スワーミー何とかかんとか――ところが、出身がアラバマ州だということがあとでバレた。彼の特技というのが、何もない宙から聖なる品物を取りだし、崇拝者に下賜するというものだ。たまたま地元のユダヤ教の指導者がアマチュアの奇術師で、聖者のやり口をみんなのまえで実演してみせた。何も効果なかったね。信者たちは、男の魔術は本物で、ラビはただ嫉んでいるだけだといったものさ。

あるとき悲しいことに、ぼくの母がこのいかさま師を信じて――父が家を出ていって間もなくだったから、そのせいもあるか――ぼくを集会に引っぱっていった。そのころ十歳ぐらいだったが、あんなに印象の悪い人間は見たことがなかったよ。鳥の巣がいくつも隠れていそうな鬚をしていたが、ほんとにそうだったかもしれない」

「その話からすると標準的なタイプだね。景気がよかった期間はどれくらいだった？」

「三年か四年だった。それから、あわてて町を出ていったよ。ティーンエイジャーの乱交パーティを組織しているのが見つかったんだ。もちろん、やつは魂を救済する秘術をほどこしているのだといいはった。これは信じてもらえないだろうが――」

「いってごらん」

「それでもまだ、やつに絶対的な帰依(きえ)を誓っている馬鹿がたくさんいた。彼らの神がまちがったことをするはずはない。したがって、教祖はハメられたんだと」

「ハメられた？」

「失礼――偽の証拠によって有罪にされることさ。警察が犯罪者を捕まえるのに、ほかにもう手がないというとき、ときどき使う」

「ふうむ。まあ、きみの尊師(スワーミー)はごく典型的なやつだ。ちょっとがっかりだな。しかし、わたしの説を実証するには役立つよ。すなわち、人類の大多数はずっと狂っていたということだ。四六時中とはいわないがね」

「あまり代表例にはならないか――ちっぽけなフラグスタッフ郊外とあっては」

「それはそうだ。だがその何千倍の数はある――きみの生まれた世紀だけじゃなく、いつの時代にもね。ばかげて聞こえるかもしれないが、幻影を捨てるくらいだったら死ぬまで戦うという信念にこりかたまるような予備軍が、いままでいなかったためしがないんだ。

わたしにいわせれば、これは実地に使えるりっぱな狂気の定義だよ」

「かたい宗教信念を持っている人間は誰でも狂人だという理屈かい？」

「厳密に解釈すればイエスだ——彼らが本気であって、偽善者でなければね。まあ、九十パーセントは本気だろう」

「ラビ・ベレンスタインは本気だったと思う。それに、ぼくが会ったなかでは指折りに正気だったし高潔な人だった。こういう例はどうなんだ？　ぼくが出会ったたったひとりの天才、チャンドラ博士——HAL(ハル)プロジェクトのリーダーだ。あるとき用事で彼の研究室にはいったことがある。ノックをしても返事がないので、留守だと思った。

なかには花で飾ったいくつかのブロンズ像があり、彼はその像に向かって祈っているところだった。ひとつは象みたいな形……もうひとつは腕がたくさんあった……こっちはとまどったが、さいわい気がついていないようすなので、抜き足差し足で逃げだしたよ。彼を狂気だというのかい？」

「ぐあいの悪い例を選んでくれたね。天才はこまる！　こういいかえよう。狂気ではないが、精神的に偏っている——子供時代の条件付けのせいでね。イエズス会士たちがいっているよ。男の子を六年間預からせてくれ、そうすればその子は生涯わたしのものだ。もし彼らがチャンドラを幼いうちに預かっていれば、敬虔なカトリック教徒に育てていただろう。ヒンズー教徒にはなっていない」

「多分ね。しかし不思議に思っているんだが——なぜぼくにそんなに会いたかった？　残念ながら、ぼくはいままで敬虔な何とかかんとかであったことはない。ぼくがそういう話とどういう関係があるんだ？」

ゆっくりと、しかも長いあいだ抱えこんでいた秘密からやっと解放され、明らかにほっとしたようすをみせて、カン博士は語りだした。

20 背教者

記録——プール

こんにちは、フランク……とうとうテッドに会ったのね。そう、変人と呼んでいい——もしそれがユーモアのセンスのない堅物学者という意味ならね。でも変人というのは、〈大いなる真実〉を知って——わたしの括弧が聞こえた?——誰も耳を傾けてくれないときに、そうなってしまうことが多いのよ……あなたが耳を傾けてくれてよかった——できることなら、真剣に受け取ってやってね。

あなた、テッドのアパートにローマ教皇のポートレートが堂々とかかげてあったのに驚いていたわね。あれは彼のヒーローになるはずの人だったの、ピウス二十世——あなたに話したことがあるはずだわ。調べてごらんなさい——ふつうに呼ばれている名は〈不信心者〉(インピウス)! これはすばらしい話で、あなたが生まれるほんのすこしまえに起こった出来事とそっくりなのよ。知ってるでしょう、ソビエト帝国の大統領ミハイル・ゴルバチョフ、二十世紀の末に国家的犯罪と行き過ぎ行為をあばいて体制を解体したこと。

教皇はそこまではやらなかった――改革を望んだだけだけど、もうそれも無理ね。ピウス二十世がおなじ考えを持っていたかどうかは、もうわからない。異端審問の秘密文書をおおやけにして世界を震撼させたあと、ひとりの狂った枢機卿に暗殺されてしまったから……

それより三十年ほどまえ、TMA・0が発見されて宗教心が動揺していたころ――これはピウス二十世にも大きな衝撃で、その行動に影響を与えたことはまちがいないわ……

でも、あなたはまだ話してくれていないわね。あの隠れ理神論者（ディスト）、テッドが神の捜索計画にどうやってあなたを引っぱりこもうとしているか。テッドは怒りがおさまらないんだと思う。神があんまりみごとに姿をくらましてしまったものだから。これはわたしが話したとはいわないでね。

おっと、話したってかまわないけど。

愛してます、インドラ。

保存

伝送

記録

ミス・プリングル

こんちは――インドラ――またドクター・テッドと会ったよ。もっとも、きみの説はまだ話してはいないがね。つまり、彼が腹を立てている相手は神だという説!

しかし、なかなかおもしろい議論をした――じゃない、対話か――といっても、話したのはほとんど彼のほうだが。ずっと工学方面にのめりこんでいて、いまごろ哲学をやることになるとは思わなかった。ちゃんと理解するには、じっくり復習しなくてはならないだろう。また学生をやるとしたら、彼はぼくに何点つけるだろう?

昨日こういうアプローチを試して、彼の反応をうかがってみた。もしかしたら、これはぼくの独創だが、どうかね。きみが聞きたがるんじゃないかと思って――きみのコメントがほしいな。これがぼくらの論争だ――

ミス・プリングル――コピー・オーディオ94

「しかしテッド、人類の偉大な芸術作品の大半は、宗教心にインスパイアされていることは否定できないだろう? これは何かがあることを証明してるんじゃないか?」

「うん――しかし信者たちが安心するような証明ではないな。人間はときどきいちばん大きいとか、いちばん偉いとか、いちばん優れているとか、そういうもののリストを作って楽しむ。きみの時代にも、これは人気のある娯楽じゃなかったかね?」

「おっしゃるとおり」

「いや、これを芸術の分野でやろうとする有名な試みが何回かあったんだ。もちろん、こういうリストは絶対的な——永遠の——価値を確定させるものじゃない。しかしなかなか楽しい企画ではあって、人間の好みが時代時代によってどう変わっていくかがよくわかる……

わたしが見たいちばん新しいリスト——これはつい数年まえ、〈地球アートネット〉にのったものなんだが——これは建築、音楽、視覚芸術、等々の部門に分かれていた……二、三の例は覚えている……パルテノン、タージマハル……音楽ではバッハの『トッカータとフーガ』が一位になって、二番めがヴェルディの『レクイエム・ミサ』だ。美術は——もちろん、モナリザ。つぎは——はっきりした順番は忘れたが、セイロン島のどこかにある一群の仏陀像、それから若きツタンカーメン王のデスマスクだ。

ほか全部を仮に思いだすことができたとしても——わたしには無理だが——それは問題じゃない。重要なのは、その文化的・宗教的バックグラウンドだ。全体からいうと、ひとつの宗教が独占するということはなかった——ただし音楽は別だ。これは純粋にテクノロジカルな意味での偶然だろう。電子楽器以前の時代のオルガンとか、そういった楽器は、みんなキリスト教化された西欧社会で発明されたものだからね。状況がまったく違ってしまうということもありうる……たとえば、ギリシア人や中国人が機械をおもちゃ以上のものだと、もし考えたとしたらだが。

しかし、けっきょく論争に決着をつけたのは、わたしが見るかぎり、人類芸術の最高作品をひとつ挙げるとしたらという問題で起こった国民一般の合意だ。何回くりかえしても、ほとんどどんな投票リストでも――答えはアンコール・ワットだ。ところが、これを発想する基となった宗教は、十何世紀も昔に滅びてしまった。あれがどういうものか、誰も正確には知らない。ただし、神はひとりじゃなく、何百という神がかかわりあっているということがわかっているだけだ」

「この問題をそっくりラビ・ベレンスタインにあずけたかったね。彼ならちゃんとした答えをしてくれたと思う」

「そう思うよ。わたしも会いたかったな。しかし彼がイスラエルの運命を知らずに亡くなって、ほっとする」

エンド・オーディオ

そういうわけさ、インドラ。グラニメデにアンコール・ワットの用意があったらな――

ぼくはまだ見てない――しかし、わがままをいってもいられない……

さて、きみが聞きたがっていた疑問の答え……なぜドクター・テッドはぼくがここに来て、こんなに喜んだのか？

知ってのとおり、彼の信じるところによれば、あまたの謎にいたる鍵はエウロパにあるんだ。ここはすでに千年、人間の立入りが許可されていない。

その例外がぼくだと彼は考えている。彼の信じるところでは、ぼくにはここに友人がいる。そう――デイブ・ボーマンだ、というか、何者であれ、いまの彼であるところのものだ……

彼が巨大モノリスに吸い込まれて生き残ったこと――またその後地球を訪ねていることはわかっている。しかし、そういう話はまだまだある――ぼくが知らなかったことがね。いや、ほとんど誰も知らないといっていい。というのは、ガニメデ住民はこのことを話すのをいやがったからだ……

テッド・カンは何年もかけて証拠を集め、いまは自信満々だ――謎解きまでは無理としてもね。少なくとも六回、ほぼ一世紀に一度ずつ、このアヌビスで――うう――何かを見たという信頼できる報告がおこなわれている。ちょうどヘイウッド・フロイドがディスカバリー号の内部で見たのとおなじ幽霊みたいなものだ。この事件のことを知っている人間はいなかったが、みんなホログラムを見せられると、すぐにデイブだと認めたという。それにもうひとつ目撃例がある。六百年まえ、エウロパへの接近を試みた調査船に起こったことだ……

当事者たちはどの場合もあまり真剣に受け取っていないが、しかしまとめてみると、ひとつのパターンが見えてくる。テッドは相当に自信を持っているよ。デイブ・ボーマンは何らかのかたちで生きていると信じている。おそらくは〈グレート・ウォール〉と呼ばれるモノリスと関係して。そのうえ、彼はまだわれわれの世界に興味を持っているんだ。彼のほうからコンタクトをしてくる気配はないけれど、テッドはコンタクトできると期待しているようだ。それができるのはぼくだけだと彼はいう……

いま決心を付けようとしているところだ。明日チャンドラー船長に相談してみる。どういうことになるか、決まったら知らせるよ。愛している、フランク。

保存

伝送——インドラ

21　立入禁止

「あんたは幽霊を信じるかい、ディム？」

「信じるものか。しかし良識ある人間の例にもれず、幽霊はこわいよ。なぜ聞く？」

「あれが幽霊じゃないとすれば、いままで見たうちで最高にリアルな夢だったね。ゆうべデイブ・ボーマンが出てきて、話をした」

プールは、チャンドラー船長がいざとなれば、まじめに聞いてくれることを知っていた。今回も期待は裏切られなかった。

「おもしろい――しかし、それはりっぱに説明がつくよ。あんたはだいたい（フォー・ディアス・セイク）、ボーマン・スイートに住んでいるんだ！　何かが出てきそうだと自分でいっていたじゃないか」

「それはまちがいなく――というか、九十九パーセントまちがいなく――あんたのいうとおりだ。それに、テッド教授とずっと議論していたことも刺激になってる。あんたはデイブ・ボーマンがアヌビスにちょくちょく現われているという報告を聞いているか？　ほぼ百年に一回の割合だという。ちょうどディスカバリー号のフロイド博士のまえに現われたときとおなじだよ、ディスカバリーが再起動されたときだ」

「何があったんだ？　漠然と話には聞いているが、まじめに受けとったことはない」

「カン博士はまじめだ、こっちもまじめだ。オリジナルの映像まで見た。フロイドが昔ぼくが使っていた椅子にすわっていると、埃の雲みたいなものがかたまって、デイブの顔になるんだ。そして例の有名なメッセージを伝える。早く立ち去れという」

「それはわかる。しかし何にしても、千年も昔だぜ。捏造する時間はたっぷりある」

「そうして何の得がある？　つい昨日もカンと二人で見た。誓ってもいいが、あれは本物だよ」

「実をいうと、わたしも本物だと思ってたんだ。目撃報告も聞いてる……」

チャンドラーの声がかぼそく消え、照れくさそうな顔をした。

「ずっと昔のことだが、このアヌビスにガールフレンドがいてね。彼女がいうには、お祖父さんがボーマンを見たという。こっちは笑ったものさ」

「テッドのリストにはその目撃例がはいっているのかな。その女性との連絡をつけてやってくれないか？」

「うう――無理だね。もう何年も話していない。多分いまは月にいるか、火星か……それはともかく、なぜテッド教授は興味を持っているんだ？」

「それをあんたに相談したかったんだ」

「悪い予感がするな。いってくれ」

「テッドによると、デイブ・ボーマンというか、かつて彼であった者は、いまでも生きているというんだ――エウロパにね」

「千年もたってか？」

「それは――ぼくを見てくれ」

「サンプル一個では統計にならないと、数学の先生がいってたぜ。まあ、つづきを聞こう」

「込みいった話なんだ――いや、ジグソーパズルか、それも大半のピースが散逸している。しかし四百万年まえ、モノリスがアフリカに現われたとき、われわれ人類の祖先に何かが起こったというのは、こんにちでは定説だ。ここは前歴史時代のターニング・ポイントだよ。はじめて道具が現われた――武器が現われた――宗教が現われた……これが偶然の一致のわけがない。モノリスがわれわれに何かをしたのだ。まさか、ただあそこにつっ立って、崇拝されるままになっていたわけじゃないだろう……

テッドがよく引きあいに出す有名な考古学者の名言があるよ。人類にとってTMA・0は、進化しろと尻をキックされたようなものだというんだ。テッドによれば、このキックは必ずしも望ましいものではなかったという。生き残るために、われわれはここまで卑しく悪辣にならなければならなかったのか？　いや、そうなのかもしれない……ぼくの見るところ、テッドはわれわれの脳の配線に何か根本的なまちがいがあると信じている。そのために、われわれは一貫した論理的思考ができなくなっているというんだ。なお悪いことに、生物はすべて生き残るためにある程度の攻撃性を必要とするんだが、どうもわれわれの攻撃性は絶対的な必要値を超えているような気がするんだ。それにほかの生物は、われわれみたいに仲間を痛めつけたりはしない。これは進化の過程で起きた事故――遺伝子の不運なんだろうか？

これは広く認められている意見だが、ＴＭＡ・１が月にあったのは、何かのプロジェクト――実験だか何だか――を見まもり、その経過を木星へ送るためだった。ここが太陽系ミッション・コントロールだったのはまちがいない。だから、またひとつのモノリス――ビッグ・ブラザーがそちらで待っていたわけだ。ディスカバリー号が到着するまで、四百万年待ちつづけていた。ここまでで何か反対意見は？」

「ない。それがいちばん筋のとおる理論だと思っていた」

「さて、ここからは推測になる。ボーマンはどうやらビッグ・ブラザーに呑みこまれたが、彼の人格らしいものは生き残ったようだ。第二次木星調査のときへイウッド・フロイドが出会って二十年後、ユニバース号のなかでまた出会っている。二〇六一年、ハレー彗星とランデブーする計画にフロイドが参加したときだ。少なくとも回顧録ではそう語っているね――もっとも、口述したのは百歳をずいぶん超えた年だったが」

「もうろくしていたかもしれないと」

「いや、同時代の報道ではその徴候はないよ！　それと——これはもっと重要だが——彼の孫のクリスがおなじように異様な体験をしている。ギャラクシー号がエウロパに不時着したときにね。そしてもちろん、まさにそのエウロパにモノリスが——というか、その仲間が——あるわけだ！　エウロパ人に囲まれて……」

「テッド博士が何をもくろんでいるか見えてきたよ。ここでわれわれの登場となる——新たなサイクルがはじまるわけだ。エウロパ人たちがいまスターダムにのしあがろうとしている」

「大当たり——つじつまが合う。木星に火がついて太陽になり、凍った世界が溶けだした。近づくなというわれわれへの警告——おそらくは彼らの進歩を妨害するなという……」

「その考え方をいったいどこで聞いたんだろう？　そうか、フランク——発想の起源は千年も昔——あんたの時代だぜ！　〈基本命令（プライム・ダイレクティヴ）〉だ！　いまでも『スター・トレック』の番組を見ては大笑いするよ」

「その出演俳優たちとじかに会った話はしたっけ？　いまのぼくを見れば、彼らは仰天するだろう……いや、その非干渉ポリシーについてはぼくには二通りの考えがあるんだ。かつてアフリカで、モノリスがそいつを破ったことはまちがいない。これは惨憺たる結果を生んだという理屈も成り立つ……」

「それで、つぎのチャンスに賭けるというわけか——エウロパで！」

プールの笑い声は、どこか空ろにひびいた。

「そのとおりのことをカンはいったよ」

「で、われわれは何をすべきだとカンはいうんだ？　それより何より——その絵のなかのあんたの役まわりは？」

「まず第一に、エウロパでいま何が起こっているのか——その原因も含め、確認する必要がある。宇宙空間からの観測では不足だ」

「ほかにどんな方法がある？　ガニメデの住民が送った探査機は、みんな着陸寸前に爆発している」

「それに、ギャラクシー号救出のミッション以降、クルーのいる船はすべて、得体の知れない力場によって軌道をそらされている。興味しんしんだね。あそこにある何かはガードは堅いが、悪意はないということがわかる。そして——ここが重要だ——そいつは近づいてくるものをスキャンする手段も持っている。ロボットと人間の区別がつくんだ」

「それはわたし以上だ、ときどきはね。つづけてくれ」

「そうだな、テッドの説だと、エウロパの地表に到達できる人間がひとりだけいるという。理由は古い友人がそこにいて、いまそこを押さえている力にたいして多少の影響力を持っているからだ」

ディミトリ・チャンドラー船長は、ひっそりと長く口笛を吹いた。

「そのリスクを冒す覚悟がついているのか?」

「うん。失うものは何もない」

「高価なシャトル機がひとつ失われるか、あんたの考えを読むとすればな。だからファルコン号の操縦を練習していたのか?」

「まあ、いわれてしまってはしょうがない。考えていなかったわけじゃない」

「ちょっと考えさせてくれ。たしかに興味をそそる案ではあるが、問題が多すぎる」

「あんたのことはわかっている。それは障害にならないと思うよ、いったん決心すればね」

22　危険な賭け

ミス・プリングル——地球からの優先メッセージの一覧をとれ
記録

愛するインドラ——芝居がかるわけじゃないが、これはガニメデからの最後のメッセージになると思う。きみがこれを受けとるときには、ぼくはエウロパへ向かっている。急に決めたことだが——いちばん驚いているのはぼく自身だろう——熟慮の末のことだ。お察しのとおり、テッド・カンの考えがこれには大きくかかわっている……もしぼくがもどらなかったら、彼から説明を聞いてくれ。

誤解しないでほしい——これを自殺行だとは全然思っていないよ！　ただテッドの主張に九十パーセント説得され、すっかり好奇心をかきたてられたおかげで、この一生に一度のチャンスを蹴ったら、絶対に自分を許せないだろうと思ったからだ。おっと、ぼくの場合は一生じゃなく〝二生〟というべきか……

ゴライアス号備えつけのひとり乗りシャトル、ファルコン号で飛びたつ。昔の宇宙局の同僚たちに見せてやったら、どんなにうらやましがるだろう！　いままでの記録によれば、着陸できずにエウロパから針路をそらされるというのが、いちばんありうる結末らしい。しかし、それだけでも何か学びとるものはあるだろう……

そしてもし、そいつ——おそらくエウロパ・モノリス、というか〈グレート・ウォール〉——が、いままで撃墜してきたロボット探査機みたいにぼくを扱うかどうか、それは何ともいえない。そのリスクだけは覚悟しなくちゃならない。

いろいろとありがとう。ジョーにはくれぐれもよろしくと。ガニメデから——そして近いうち、願わくばエウロパから、愛をこめて。

保存

伝送

第四部　硫黄の王国

23 ファルコン号

「エウロパはいま、ガニメデから約四十万キロのところだ」チャンドラー船長がプールに知らせた。「いまアクセルを踏めば――ありがとう、こういうことばを教えてもらうのは楽しいね！――ファルコンは一時間で向こうに着くぞ。しかし、その手はお勧めできない。われら謎の友人は、そんな速度で突進してくるやつは警戒するかもしれない」

「同感――それに考える時間もほしい。最低五、六時間はかけたいな。それに、まだ希望は……」プールの声はかぼそくなり、沈黙に呑みこまれた。

「希望って？」

「デイブというか、その何者かとコンタクトがとれるだろうと思っているんだ、着陸のまえにね」

「そうだ、招かれもしないのに立ち寄るのは失礼なことだ――相手が昔の友人だとしてもな、エウロパ人みたいな赤の他人はいうまでもないとして。どうだ、お土産を持参したら——昔の探険家はどういうものを使った？　たしか鏡やビーズ玉がひところ流行したんじゃないか」

チャンドラーの軽口も、その奥にある心配を隠しおおせてはいなかった。プールを送りだすほかに、貴重なシャトルを貸しだすわけで、これについて最終的な責任を負うのはゴライアス号のスキッパーなのだ。

「どういう口実をつけようか、まだ決めかねているよ。あんたが英雄になってもどるなら、栄光のお相伴にあずかればいい。しかしファルコン号もあんたももどらなかったときは、どう説明する？　われわれの隙を見て、シャトルを盗んでいったと？　そんな話は誰も信じやしないよ。ガニメデ交通管制局はじつに有能だ——やむを得ない事情もあってな！事前通告なしに発ったりすれば、一マイクロ——いや、一ミリセコンドもしないうちに追いかけてくる。まえもってフライト・プランを提出しないかぎり、まず出発はできないと思う。

だから、なにか名案を思いつかないかぎり、こうしようと思っているんだ。

あんたはファルコンに乗って資格審査の最終フライトに出る。ソロ飛行がはじめてじゃないことはみんな知っている。エウロパ上空二千キロの軌道にはいる。べつに異常なことじゃない——誰もがしょっちゅうやっているから、当局も文句をつけてはこないだろう。

推定飛行時間は合わせて五時間プラス・マイナス十分だ。帰る段になって、もしあんたの気が変わったとしても、誰にも打つ手はない――少なくともガニメデからはね。もちろん、わたしは怒りまくるよ。どれくらい驚いたか、こういう甚だしい航行違反などなど云云というわけだ。予備審問のときにつじつまの合う話なら何でもいい」

「そういうことになるのか？　あんたをトラブルに巻き込みたくはない」

「心配ご無用。すこしはゴタゴタしてもいい頃合いなんだ。しかし、この企みを知っているのは、わたしと二人だけということにしてくれ。クルーにはいわないでほしい。連中には――何だったっけ、このあいだ聞いた使えるいいまわし？――〝無理からぬ否認権〟を持たせたいから」

「ありがとう、ディム――お気づかいに感謝する。くれぐれも後悔しないでくれることを願うね、海王星近辺でぼくをゴライアス号に運びこんでしまったことを」

仕方がないとはいえ、不審そうに見られることはプールにも避けられなかった。たんにファルコン号を型どおりの短い飛行に出すだけなのに、準備をするクルー仲間に対し、プール自身の態度が微妙に変わってしまうのだ。しかしそれがクルーの考えるようなものとはまるで違っていることを知っているのは、彼とチャンドラーだけだった。

といって、まったく未知の領域をめざしているわけでもなかった。彼とディブ・ボーマンは千年まえにもこれをやっているのだ。シャトルのメモリには、数メートル四方の細部まで表示できるエウロパの地図がおさめられている。自分の行きたい場所は承知の上であり、残る問題は、この一千年にわたる立入禁止が解けるかどうかだけだった。

24 逃亡

「手動コントロールをまわしてくれ、頼む」

「だいじょうぶかい、フランク？」

「あたりまえさ、ファルコン……ありがとう」

筋の通らない話だが、人類の大半はその人工の子供たちに、相手がどんなに単純であろうが、ぶっきらぼうな態度をとれないでいた。マン＝マシン・エチケット問題については、おびただしい心理学論文が書かれ、たくさんの通俗ガイドブックが出まわっていた（『コンピュータへの優しい接し方』『人工知能——この腹の立つやつ』などが有名な例である）。遠い昔、つぎのような決定が下された。すなわち——ロボットに無礼をはたらいて何が悪いと思えるかもしれないが、これは許されてはならない。なぜなら人間関係にたやすく波及するからである。

ファルコン号はフライト・プランに予告されたとおり、いまエウロパ上空二千キロの安全な軌道上にあった。三日月状の巨大な衛星が行くての空を支配し、ルシファーに照らされていない部分さえも、はるかに遠い太陽の光を受けてまばゆく輝いているので、細部まではっきりと見分けられる。プールは何の光学器具も必要なく、予定の着陸点を見ることができた。着陸点はいまだ凍てつくガリリー海の岸辺、この世界にはじめて降りた宇宙船の骨格からさほど遠くないところにある。金属部品はとうの昔にエウロパ人が持ち去ってしまったが、不運な中国船はいまだにそのクルーの記念碑となっていた。そしてこの世界における唯一の〝町〟——たとえ人間にはほど遠い生物の町であるにしても——に、〝チエンヴィル〟という名はまことにふさわしかった。

プールの計画では、まず海に向かって降下し、つぎにチエンヴィルへゆっくりと飛んでいく。これで近づく相手が友好的か、少なくとも攻撃的でないことがわかるだろうという思惑だった。われながら素朴な考えと認めざるをえないけれど、ほかの方法は思い当たらなかった。

ところが、千キロメートル以下に高度を下げようとしたとき、横やりがはいった。彼が望んでいた種類のものではなく、はじめから予想されたものだった。

「こちらはガニメデ管制室。ファルコン、応答をどうぞ。あなたはフライト・プランから逸脱しています。いますぐに説明をお願いします」

こうした緊急要請を黙殺するのはむずかしい。だが目下の状況では、知らないふりをするのが最善の策に思えた。

かっきり三十秒後、エウロパにさらに百キロ近づいたところで、ガニメデはメッセージをくりかえした。プールは今度も知らないふりをした——が、ファルコンの反応は違っていた。

「きみは本気でやっているのか、フランク？」とシャトルがたずねた。錯覚だとはわかっているが、その声がどこか心配げであることは誓ってもよい気がした。

「本気だとも、ファルコン。何もかもわかったうえのことだ」

これは明らかに事実に反することであり、これから先は、もっと物のわかった聴衆を相手に、嘘の上塗りをしていく必要がありそうだった。

コントロール・ボードの端で、めったにつくことのない指示ランプが明滅をはじめた。プールは満足の笑みをうかべた。何もかもが計画どおりに進んでいる。

「こちらはガニメデ管制室！　聞こえますか、ファルコン？　あなたのシャトルは手動オーバーライドが働いているので、こちらからは手助けできません。どうしたのですか？　まだエウロパへの降下がつづいています。すぐに応答してください」

プールの内に、良心のかすかなうずきが起こった。管制官の声には聞きおぼえがあり、彼がアヌビスに着いて間もなく、市長主催の歓迎パーティで出会ったチャーミングな女性であることはまちがいない気がした。ほんとうにあわてた声音だ。

とつぜんプールは、彼女の不安を和らげる方法に思いあたった。それに、はじめばかばかしいと思って見捨てた案を実行してみる機会でもあった。やってみる値打ちはあるだろう。何の害もないし――ひょっとしたら、うまく行くかもしれない。

「こちらファルコン号のフランク・プール。わたしはだいじょうぶだ。だが何かが艇の自由を奪ってしまったようで、エウロパに誘導されていく。ちゃんと受信されているといいが――できるだけ長く報告を入れるようにする」

まあ、これはまるっきりの嘘ではないし、心配してくれた管制官といつか顔を合わせる機会があっても、ばつの悪い思いをしなくてすむだろう。

フランク・プールは話しつづけた。声が誠実に聞こえるように神経をつかい、真実のふちには決して近づかないようにした。

「くりかえす。こちらはフランク・プール。いまシャトル艇ファルコン号に乗り、エウロパへと降下している。どうやら何か外部の力がわたしの艇を乗っ取って、安全に地表へ導いているようだ。

デイブ――わたしは昔のクルー仲間のフランクだ。誘導しているのはきみなのか？　ある根拠があって、わたしはきみがエウロパにいると考えている。

もしそうなら――会うのが楽しみだな――きみが何者だろうと、どこにいようと」

返事があるとは夢にも思わなかった。ガニメデ管制室も、あまりの驚きに沈黙している。

しかしある意味では、答えを受けとっているのだった。ファルコン号はいまだガリリー海に向かっての降下を許されているのだ。

エウロパまであとわずか五十キロ。いまでは肉眼でも、チエンヴィル郊外で歩哨に立つ——あるいは、まさにそのとおりのことを実行しているのかもしれないのだが——モノリスの黒々とした細長い板を見ることができた。

この一千年、ここまでの接近を許された人間はひとりもいなかったのだ。

25　海底の火

悠久の昔から、そこは海洋世界であり、隠れた大量の水は氷の外皮によって宇宙の真空から守られてきた。ほとんどの地域では氷は何キロメートルもの厚さになるが、力のかかりやすいところでは、ひび割れや裂け目が走っていた。すると、たがいに相容れない二つの自然力が、太陽系内にまたとないこの環境で、かつては短い戦いをくりひろげたことになる。海と宇宙空間の戦いは、つねにおなじ膠着状態で終わる。真空にさらされた水は、沸騰しながら凍結し、氷のよろいを修復したのだ。

エウロパの海洋は、近い木星の影響がなければ、とうの昔にすっかり氷結していたことだろう。その重力は小世界の中心部を絶えずこねまわしている。イオを痙攣させている力は、イオほど激しくはないけれど、ここでも働いているのだ。海底のいたるところに、惑星と衛星との綱引きの証拠は現われていた。海底地震の咆哮や雷鳴はやむことがなく、地中から噴きだすガスはかん高い叫びをあげ、地崩れが生む可聴下の圧力波が深海平原をわたっていく。エウロパをおおう狂暴な大洋と比べれば、地球の騒がしい海などは沈黙しているようなものだった。

深海の砂漠のそこかしこに、地球の生物学者が大喜びしそうなオアシスがちらばってい た。地中から噴きだす鉱物質たっぷりの塩水が沈殿し、煙突やパイプ状にもつれあい固ま ったところがあり、オアシスはその周辺数キロメートルにわたって広がっていた。しばし ばそれらはゴシック城郭の巧まざるパロディをかたちづくり、そこから黒い煮えたぎる液 体がゆっくりしたリズムでほとばしるさまは、なにか強大な心臓の鼓動に合わせて送りだ されているようだった。しかも血とおなじように、これまたまぎれもない生命のあかしな のだ。

この沸きたつ噴流が、上からしみこんでくる恐るべき寒さを押しのけ、海底に温もりの 島を作ったのだ。同様に重要なのは、それがエウロパの内部から生命に必要なあらゆる化 学物質を運んでくることだった。食物とエネルギーをふんだんに与えるこうした肥沃なオ アシスは、二十世紀の探険家たちによって、地球の海においても発見されていた。違いは ただ、こちらのほうが途方もなくスケールが大きく、はるかに多様であることだけだった。

熱源にいちばん近い〝熱帯〟では、植物の親戚らしいクモの足のようなデリケートな構 造群が成長している。そのあいだをナメクジやミミズに似た奇怪な生物が這っている。な かには植物を食べて生きているものがあり、また鉱物質を多量に含んだ海水からじかに養 分を吸収しているものもある。すべての生物が暖をとるこの深海の火からはるかに遠いところでは、もっとしぶとい頑丈な生き物たちがおり、それらはカニやクモに似ていなくもなかった。

生物学者の軍団が生涯をかけても、小さなオアシスひとつを調べきることもできないだろう。地球の古生代の海とちがって、エウロパの深海は安定した環境ではないので、ここでは進化は急速に進み、突拍子もない形態を無数に生みだしていた。しかも彼らはすべて、おなじような期限のあいまいな執行猶予のもとにおかれていた。遅かれ早かれ、それぞれの命の泉は弱まって涸れ、その背後にあった力はほかの場所へ移っていくのだ。エウロパの海底には、そうした悲劇の証拠は累々としていた。数知れぬ円形の地域に、死んだ生物の骨や沈殿物とともに石化した遺骸が散乱し、生命の書からさまざまな進化の章がまるごと削除されたあとを見せていた。ある生物はその生きた唯一のあかしとして、人間より大きい巨大な空(から)っぽの、よじれたトランペットのような巻き貝を残していた。いろいろな形の貝殻もあった。二枚貝、さらには三枚貝、またさしわたし数メートルもある渦巻き状の化石——それは白亜紀末期の地球の海からこつぜんと姿を消した、あの美しいアンモナイトのまぎれもない類縁と思われた。

エウロパ深海のまたひとつの大きな驚きは、光りかがやく溶岩の川であり、それは海底にあるいくつものカルデラ火山から流れだしていた。この深度では水圧があまりにも高いので、赤熱するマグマは水にふれても蒸気となって爆発することはない。そのため二種の液体は、不安定な休戦状態のもとで共存していた。

ここ、またひとつの世界を舞台に、異質の役者たちを配して、エジプトのそれと似た物語が、人類の現われるはるか以前にくりひろげられたのだ。ナイルが砂漠のせまい帯状地帯に命をもたらしたように、この熱の川はエウロパの深海に生気を吹きこんだのだ。その両岸、幅二、三キロほどの帯に沿って、つぎつぎと新たな種が興り、栄え、そして消えていったのだ。なかには永続的な記念碑を残していった生物もいた。

それらはしばしば、熱水孔のまわりにできる自然の構造物と判別がつけがたく、自然の化学作用の産物でないとわかっても、それが知性の産物なのか、本能の産物なのか見分けるのはむずかしかった。地球でもシロアリが、この凍った世界をつつみこむ広大な唯一の大洋のなかで見つかるのとおなじように壮麗な集合住宅をつくるからだ。

この深海の砂漠にのびるせまい沃野で、どのような文化、いや、文明が興り、滅びていったことだろう。エウロパの帖木児(チムール)やナポレオンの指揮のもと、どのような軍勢が行進し、あるいは泳ぎすぎたことか。しかも、エウロパのほかの土地はそれらが存在したことを知りようもない。なぜならこれらのオアシスは、太陽系の各惑星とおなじく、まったく孤絶しているからだ。溶岩流の光のなかで暖をとり、熱水孔のまわりで食物をあさった生物たちは、孤独な島々を隔てる敵意にみちた荒野をわたることはできなかった。もし彼らのなかから歴史家や哲学者が生まれていたなら、どの文明も、それが宇宙で唯一と信じて疑わなかっただろう。

にもかかわらず、オアシスとオアシスのあいだに広がる空間も、生命が皆無というわけではなかった。きびしい環境のなかにみずから乗りだす頑健な生き物もいた。その一部はエウロパの魚に相当するものであり——垂直の尾で水をけり、体の両わきの鰭で舵をとる流線型の生き物だった。地球の海にいちばん適応した生物との類比は避けられないことだった。おなじ技術的な問題を与えられたとき、進化はたいへん似かよった答えを出す。イルカとサメを見るがいい——外見はほとんど瓜二つだが、たがいに遠く離れた生命の木の枝から発しているのだ。

しかしエウロパと地球の魚では、はっきりとわかる違いがひとつあった。彼らには鰓がなかった。泳ぐ水のなかに、酸素がまったくといっていいほど存在しないからである。地球の地熱孔に群がる生物と同様、彼らの代謝機能は、火山付近の環境に豊富に含まれる硫黄化合物に基づいているのだ。

目をそなえたものもほとんどなかった。流れだす溶岩のまたたく光と、生殖の相手や獲物を求める生物がときおり発する光をのぞけば、そこは光のない世界だった。

またそれは破滅を運命づけられた世界でもあった。エネルギー源が散発的で、常時移動しているだけでなく、そのエネルギー源をつき動かす潮汐力が弱まりつつあるのだ。たとえ彼らが真の知性を発達させるにしても、彼らは火と氷のあいだに捕らえられているのである。

奇跡でも起こらないかぎり、彼らはこの小世界の終局的な凍結とともに滅び去ってしまうだろう。

ところが、その奇跡をルシファーが起こしたのである。

26 チエンヴィル

あと一息となり、時速百キロほどでのんびりと海岸上空に達したところで、ひょっとしたら土壇場で止められるのではないかとプールは覚悟した。だが不都合なことは何も起こらず、そろそろと飛ぶうち、シャトルは〈グレート・ウォール〉の黒い不気味な面に沿って降下していた。

エウロパ・モノリスに付ける名前としては、これ以上ふさわしいものはないといえる。地球や月面の小さな兄弟とは違い、これは長辺を横にして立ち、二十キロメートルあまりも伸びているのだ。TMA・0やTMA・1と比べ、体積は文字どおり何十億倍と大きいが、各辺の比率はまったくおなじ——謎めいた1対4対9であり、この千年間、おびただしい数秘学的たわごとを生みだすもとになっていた。

縦方向の高さが十キロメートル近くあるため、〈グレート・ウォール〉には風除けの機能もあるという、もっともらしい説もたてられていた。ガリリー海の方面からときおり吹きつけるすさまじい強風からチエンヴィルを守っているというのである。気候が安定したいま、強風はそんなにたびたび吹くことはなくなったが、千年まえであったら、海から上がってくる生物にとってこれは相当不利な条件となったにちがいない。

行ってみたい気持は充分にあったが、プールはいままで一度もティコ・モノリスを訪ねたことはなく――彼が木星へ出発したときには、まだトップ・シークレット扱いだった――一方、オルドバイ渓谷にある双子のかたわれは、地球の重力のために彼には近づくことができなかった。だがその映像は幾度となく見せられて、まるで喩えにいう手の甲以上に馴染みのものになっていた（それにしても、いつも思うのだが、自分の手の甲を見分けられる人間がいったいどれくらいいるのだろう？）。圧倒的な尺度の違いをのぞけば、〈グレート・ウォール〉をTMA・1やTMA・0と区別する手がかりは何もなく、それをいうなら、レオーノフ号が木星をめぐる軌道で出会った〝ビッグ・ブラザー〟とも見分けはつかなかった。

一部の説によれば、鵜呑みにするには少々クレージーすぎるが、存在するのは原型のモノリスひとつだけで、ほかのすべては――サイズの大小にかかわらず――その映像あるいは虚像だという。そびえる漆黒の〈グレート・ウォール〉のなめらかな、染みひとつない表面をながめたとき、プールはそんなことを思いだした。これほど過酷な環境に何百年も立ちつづければ、多少の汚れがついても不思議はないだろうに！　ところが、窓ふき人の大部隊がいましがた隅から隅まで拭きおえたかのように、染みひとつ見えないのだ。

もうひとつ思いだしたことがある。TMA・1とTMA・0を見物に来た人びとは、みんなその無垢な表面にさわりたいという抑えがたい衝動に駆られるが、じかに触れることができた者は誰ひとりいないということだ。指、ダイヤモンド・ドリル、レーザー・ナイフ——何を使おうが、透過できない薄膜に出くわしたかのようにモノリス面をかすって逸れてしまうのである。というか——これもまた人気のある理論だが——モノリスたちは必ずしもこの宇宙にあるものではなく、何分の一ミリメートルかの超えがたい境界を隔てて、宇宙と切り離されているようにも見えた。

のんびりと周囲をまわったが、〈グレート・ウォール〉は彼の動きにまったく反応を見せなかった。やがて彼はシャトルを飛ばし——ガニメデ管制室がよけいな〝救出〟の試みに乗りださないために、まだ手動で操縦していた——チエンヴィルのはずれに近づくと、しばらく宙に浮かんだまま、適当な着陸地点をさがした。

ファルコン号の小さなパノラマ窓からのながめは、まったく見慣れたものだった。現実にながめることになるとは夢にも思わず、ガニメデにある映像を何回となく見てきたからだ。エウロパ人たちには、どうやら都市計画という発想はないらしい。さしわたし一キロほどの地域に、何百という半球形の構造物が一見乱雑にちらばっていた。なかにはあまりにも小さくて、人間の子供さえ窮屈な思いをしそうなものさえ見える。大家族が住めそうな広々としたものもあるが、高さ五メートルを超えるものはひとつもなかった。

しかもそれらはみんな同一の物質からできており、二重の日ざしを受けてほの白くかがやいていた。地球ではエスキモーが、彼らの住む寒い、材料に乏しい環境の挑戦に対して、まったくおなじ答えを出していた。チエンヴィルのイグルーもやはり氷でできていたのだ。

街路の代わりに、ここには水路がある。それはいまだ水陸両生から抜けきれず、眠るときには水中にもどるらしい生物にふさわしかった。また食事も交尾も水中でおこなっているのだろうが、これらの仮説はまだ実証されてはいない。

チエンヴィルは〝氷のベネツィア〟の異名をとっていたが、これが当を得た形容であることをプールも認めざるをえなかった。だがベネツィア人の姿はなかった。街は何年も無人のまま放置されているように見えた。

そしてここにもまたひとつの謎がある。ルシファーは遠い太陽より五十倍も明るく、空に張りついたままなのに、エウロパ人はいまだに太古の夜と昼のリズムに縛られているようなのだ。彼らは夕暮れになると海に帰り、〝朝日〟が昇るとともに海から上がってくる。それも明るさがわずか数パーセントしか違わないのにである。おそらくここにも地球との共通点があるのだろう。地球ではたくさんの生物種のライフ・サイクルが、桁外れに明るい太陽とともに、光の弱い月にも支配されているのだ。

あと一時間で日の出となるが、それを合図にチエンヴィルの住民は陸にもどってきて、また悠長な暮らしにはいるのだ。じっさい人間の尺度から見たら、たしかに悠長ではある。

エウロパ人をつき動かす硫黄をベースにした生理機能は、地球の大多数の生物を活気づける酸素ベースの生理機能ほど能率的ではないのだ。地球のナマケモノさえエウロパ人を追い抜けるほどなので、今後彼らが地球人にとって危険な存在になるおそれはあまりない。というのは良いニュースだが、良くないニュースもあった。双方がどれほど誠実に事にあたったとしても、コミュニケーションの手続きはひどく緩慢——おそらく我慢できないほどかったるいものだろうということだ。

そろそろガニメデ管制室に報告をいれなければいけない頃合いだ、とプールは思った。向こうは心配しているだろうし、共犯のチャンドラー船長がこの状況にどう対処しているかも気になった。

「ファルコン号からガニメデへ。そちらからもおわかりのように、ただいまチエンヴィルの上空に飛んで——うう——運ばれてきた。敵対行為は見られず、太陽に対してはまだ夜なので、エウロパ人はみんな海中にいる。着陸したら、また連絡する」

一枚の雪ひらのように優雅に、ファルコン号を平らな氷の上に下ろしながら、ディムの満足そうな顔が見えるようだった。万が一にもシャトルの安定性を失いたくないので、シャトルの重量をほんの一部残して、慣性駆動を消すことにした——といっても、風に吹き飛ばされないようにする程度の割合である。

彼はエウロパに着いた——この一千年においてはじめての人間である。イーグル号が月面に降りたとき、アームストロングとオルドリンもおなじ高揚感を味わったのだろうか？　おそらく彼らは月着陸船の原始的で、まったく知能のないシステムをチェックするのに精いっぱいだったろう。

ファルコン号はもちろん、こうしたすべてを自動的におこなっていた。狭いキャビンはいまひっそりとして、よく調整された電子音のわかりきった――だが安心のいく――ささやきしか聞こえない。プールがびっくりしたことに、チャンドラーの声が、あらかじめ録音されていたのだろう、彼の思考をさえぎった。

「ついにやったな！　おめでとう！　知ってのとおり、再来週にはわれわれは小惑星帯（ベルト）へ帰るが、きみには時間はたっぷりあるはずだ。

五日たったら、ファルコン号は自動的に動きだす。あんたがいるいないにかかわらず、帰りの旅に発つ。だから、幸運を祈る！」

ミス・プリングル
暗号作成プログラム起動
保存

こんにちは、ディム――元気の出るメッセージ、ありがとう！　このプログラムを使うのは大げさすぎる気がする。まるで秘密諜報員になった気分で、ぼくが生まれるまえの時代に人気のあったスパイ・メロドラマに出演しているようだ。それはともかく、これで多少のプライバシーは守れるわけで、いまはこういうものが必要なのかもしれない。ミス・プリングルがちゃんとダウンロードしてくれればいいが……いや、もちろんミス・P、いまのは冗談だよ！

ところで、いま太陽系中のニュース・メディアから質問攻めにあっている。お願いだから、連中を食いとめてくれ——でなければ、テッド博士にまわしてくれ。彼なら喜んで応対するだろう……

ガニメデ側のカメラがずっとこちらに向いているので、ここからのながめを説明して空気の無駄づかいをするのはやめる。順調にいけば、結果はあと数分で出るだろう——この計画が正しかったかどうか、エウロパ人が水面に上がってきたとき、ぼくが友好的に待ちかまえていて、彼らを迎えるというのは……

何が起きようと、そんなに驚くようなことはないはずだ。チャン博士たちが千年まえ、ここに降りたときほどは！ あの有名な最後のメッセージを、ガニメデを発つまえにもう一度聞いたよ。正直なところ、薄気味悪くなってくる——こんなことがまた起こるのだろうかと、心穏やかでなくなってくる……チャンみたいなかたちで歴史に名を残したくはないからな……

もちろん、ようすがおかしくなってきたらすぐに離昇する……というところで、いま面白いことを思いついた……エウロパ人たちには歴史があるのか――何らかのかたちで記録を残しているのか……千年まえ、ここから二、三キロの場所で起こったできごとの記憶があるのだろうか？

27 氷と真空

「……こちらチャン博士、エウロパから送信している。どなたか、これを聞いてくれているといいが、とくにフロイド博士――あなたがレオーノフ号に乗船されているのは知っている……あまり時間はなさそう……宇宙服のアンテナを皆さんがいそうな方向に……この知らせを地球に中継していただきたい。

チエン号は三時間まえに崩壊した。わたしはたったひとりの生き残りだ。宇宙服の無線を使っている――電波がどこまでとどくか心もとないが、道はこれしかない。どうか気をつけて聞いていただきたい……

エウロパには生命が存在する。くりかえす。エウロパには生命が存在する……

われわれは無事着陸し、全システムを点検すると、推進剤のタンクにすぐさま水を汲み入れられるようにホースをくりだした……急いで出発しなければならないときの準備だ。

何もかもが計画どおりに運んでいた……順調すぎて信じられないほどだった。タンク群に半分ほど水がたまったところで、リー博士とわたしはパイプの防熱を調べにいった。チエン号が立っている——立っていた——のは、幅の広い水路のほとりから三十メートルほどのところだった。パイプは船からじかに氷のなかにさしこまれている。氷は非常に薄い——歩くのは危険だ。

木星は半円にふくらみ、われわれは五キロワットの照明を船から吊り下げていた。まるでクリスマスツリー——氷に反射して美しい……

リーが最初に見つけた——ばかでかい黒いかたまりが深みから上がってくる。はじめは魚の群れかと思った。単一の生物体としては大きすぎる。ところが、そいつは氷を破って、われわれのほうに向かってきた。

濡れた巨大な海草の葉と見えるものが地面を這っている。リーはカメラをとりに船にもどっていった。わたしはあとに残り、無線で報告していた。そいつの動きはゆっくりしたもので、わたしは楽に追い抜くことができた。不安よりも興奮が先に立った。どんな種類の生物なのかは見当をつけたつもりだが——カリフォルニア沖の大型海草の写真は見たことがある——それはとんでもない間違いだった。

……そいつが難儀をしていることは、ようすを見てわかった。ふだんの環境より百五十度も低い温度のなかでは、とても生きてはいけない。動きながらも凍結していく。かけらがガラスみたいに割れて落ちていく。だが、それでも船をめざしてひたすら突き進むのだ。黒い津波がだんだん動きがゆるくなっていくみたいに。

あまり驚いたので、頭が正常にまわらなかった。そいつが何をする気なのか想像もつかなかった。チエン号のほうへ向かっているんだが、危害が加えられるようには思えなかった。そう、小さな森が移動しているようなものだ。顔がほころんできたのを覚えている——『マクベス』のバーナムの森を思いだしたので……

その段になって、危険だとようやく気づいた。無害な生き物であるにしても——体重がある——体に氷をかぶっているからには、この低重力でも何トンもあるにちがいない。そいつがのろのろと、苦しそうに船の着陸装置によじ登っていく……金属脚が折れ曲がった、スローモーションの映像を見るように、まるで夢のなか——というか、悪夢でも見ているように……

船が倒れそうになって、そいつが何をする気なのか、やっと呑みこめた。そのときには遅すぎた。みんな命を落とさなくても済んだのだ——あのとき照明を消していたら！おそらく光栄養生物だろう。氷を通してとどく日光をたよりにライフ・サイクルが触発されるのだ。それともロウソクに吸い寄せられる蛾みたいなものか。われわれのフラッドライトは、エウロパではかつてないほど明るいものだったにちがいない、太陽そのものよりも……

そのとき船が倒壊した。船体が割れ、とび散った水分が凝結して雪の雲が舞いあがった。照明がひとつを残して全部消えた。その明かりはケーブルにぶらさがって、地上二メートルぐらいのところでぶらぶらと揺れている。

そのすぐあと何があったのか、わたしには覚えがない。気がつくと、明かりの下に立っていた。そばには船の残骸があって、あたり一面には降ったばかりのきれいな粉雪が積もっている。その上に自分の足跡がついているのが、くっきりと見えた。走ってきたにちがいない。あれから一、二分が過ぎた程度だろう……

植物は——そのときはまだ植物だと思っていた——動かなかった。衝撃で傷ついたのかと思った。おとなの腕くらいもある太い枝が、何本もずたずたになっている。

すると幹の部分がまた動きだした。船体から離れると、わたしのほうにずるずると這いだした。そいつには光感受性があると確信できたのはそのときだ。わたしは一キロワット電球の真下にいた。そのころには電球の動きが止まっていたのだ。

オークの木のイメージを思いうかべてみてほしい。いや、幹や根をいっぱい生やしたバンヤン樹といったほうがいい。それが重力で平べったくなって、地面を這ってくるのだ。そいつは光から五メートル足らずのところに近づくと、わたしを囲むようにして見事な円をつくった。おそらく耐性の限界なのだろう。その点を越えると、光に吸い寄せられていたのが反発に変わる。

そのあと数分間は何も起こらなかった。死んだのかと思いかけた——ついに凍りついてしまったのかと。

　そのときになって、たくさんの枝に大きな芽がふくらみだしているのに気づいた。まるで低速度撮影で花の開くところを見ているようだった。事実、花だと思った——ひとつひとつがおとなの頭くらいもある。

　華やかな色のデリケートな薄膜がほどけはじめた。この瀬戸際にも、ふっと考えが浮かんだ。この色だけはどんな人間だって——生き物だって——まともには見ていないのじゃないか。ここに光が——われわれの命取りになった光が——あたるまで存在しなかった色なのだから。

　巻きひげというのか、雄しべというのか、弱々しく波打っている……わたしは周囲を取り巻く生きた壁に近づいた。何が起こっているのか見ておきたかったのだ。そのときも、またその前後も、生き物への恐怖はすこしも感じなかった。悪意はないという確信はあった。もちろん、そいつに意識があるとしての話だが。

　何十もの巨大な花が、開花のいろんな段階を見せている。ふと蝶のことを連想した。蛹（さなぎ）からとびだすところだ——羽根をしぼませ、まだ元気もない。わたしはますます真相に近づいていた。

　だが花は凍っていく——開くそばから死んでいく。ひとつ、またひとつと、母枝から落ちていく。それでも、すこしのあいだ、陸に打ちあげられた魚みたいにぴょんぴょんと跳ねる。そこでやっと正体がわかった。薄膜は花弁ではない。鰭（ひれ）というか、それに相当するものなのだ。自由に泳ぎまわる生き物の幼生期なのだ。おそらくは一生の大半を海底に付着したまま過ごし、自由に泳げる幼体を新天地に送りだすのだろう。ちょうど地球の海に生きるサンゴみたいに。

わたしは膝をついて、ちっぽけな生き物を近くでよく見た。華やかな色はもう薄れて、くすんだ茶色になっている。花弁ふうの鰭はいくつか欠け落ちて凍り、もろい石みたいになっていく。だがまだ力なく動いていて、わたしが近づくと逃げようとした。どうしてわたしがそばにいるとわかったのか。

そのときになって、雄しべ――わたしがそう呼んだものの先端に、明るいブルーの粒がのっているのに気づいた。小さなスター・サファイア――というか、ホタテガイの外套膜に並ぶブルーの目を思わせた。光の受容器だが、ちゃんとしたイメージをつくるほどの機能はないらしい。見ているうちに鮮やかなブルーは薄れ、宝石は不透明なふつうの石ころに変わってしまった……

フロイド博士――ほかどなたでも、聞いておられる方――もうあまり時間はない。生命維持装置の警報がいましがた鳴った。だが話すことはもうあとすこしだ。

自分が何をしたらいいか、そのときにわかった。一キロワット電球のケーブルが地面すれすれに垂れ下がっていた。二、三回引っぱると、火花を雨のようにちらして照明が消えた。

遅すぎたかと心配した。数分のあいだ何も起こらなかった。そこで、枝がもつれあって壁みたいになっているところへ行き、蹴とばしてみた。

するとと生き物はゆっくりと枝をほどき、水路へ退却しはじめた。わたしは水辺まで追っていき、動きが鈍ると蹴りつけ、ブーツの底で氷のかけらをざくざくと踏みつけていた……水路に近づくにつれ、故郷がもうすぐだとわかるのか、そいつはだんだん力を回復してきたように見えた。生きのびてほしい、また芽吹いてほしいと、わたしは願った。

生き物は水面下に消え、何びきか死んだ幼体が残った。真空にさらされた水は何分か沸騰していたが、やがて氷のかさぶたが表面をおおった。その後、わたしは船に引き返すと、何か回収できるものはないかと見まわった――これについては話したくない。

博士、二つだけあなたにお願いしたいことがある。いつか学者がこの生物を分類するとき、わたしにちなんだ名前をつけてくれたらと思う。

それから――つぎの船が来るときには――伝えてほしい。われわれの骨を中国へ持ち帰ってほしいと。

あと何分かでバッテリーが尽きる。誰かが聞いているとわかりさえすれば。何にしても、できるだけ長くメッセージをくりかえす……

こちらはエウロパのチャン教授。宇宙船チエン号の事故のもようを報告する。われわれは大水路のほとりに着陸し、水ぎわにポンプ装置を――」

28　小さな夜明け

ミス・プリングル
記録

太陽が昇ってきた！　不思議だ――ぐんぐん昇ってくる、ゆっくり自転する世界なのに！　もちろん、もちろん――ここからでは豆粒ほどなので、あっという間に地平線から出てしまうのだ……といっても、明るさにほとんど変化はない。その方向を見ていなければ、空にもうひとつ太陽が上がったとは気づかないだろう。

だがエウロパ人は気づいてくれたと思う。ふつう彼らが、この〝小さな夜明け〟から岸に上がってくるのに五分とかからない。こっちが待ちかまえているのにもう気づいていて、肝をつぶしているのだろうか……

いや――その反対ということもある。好奇心いっぱいなのか。いったいどんな変なやつがチエンヴィルにやってきたのか、見たくてたまらないのかもしれない……むしろこっちを期待したい……

ほら、やってきた！　そちらのスパイ衛星が見てくれているといいが――ファルコンのカメラは撮影している……

何というのろのろした動きだ！　連中とのコミュニケーションは相当退屈なものになりそうだぞ……向こうが一生懸命話しかけようとしても……

チエン号を押し倒した生き物に似ているが、もっとずっと小型だ……小さな木が五、六本のすらりとした幹を使って歩いているという感じだ。枝がたくさんあって、それが小枝に分かれ、もっと……細かくなっていく。われわれの汎用ロボットとおなじだ……人間に似せたロボットが見るも無残なほど不器用なことに気づくのに、どんなに時間がかかったか。正しい方法というのは、小さなマニピュレータを何百と持つことだったんだ！　われわれが何か利口なことを考えだすと、母なる自然がそれをとっくに思いついていることに気がつく……

あのチビ連中のかわいいこと――小さな茂みが動いているようだ。どうやって生殖するのか――つぼみをつけるのか？　こんなにきれいだとは思わなかった。珊瑚礁の魚に負けないくらいカラフルだ――もしかしたら理由もおなじか……異性を惹きよせたり、何かほかのものに見せかけて捕食生物をだます……

さっき茂みといったね？　バラの茂みとしてくれ――連中はとげも持っているんだ！何かりっぱな理由があるんだろう……

がっかりだ。どうもわたしに気づいていないようだ。みんな町へ一目散だ、宇宙船の来訪など日常茶飯事だとでもいうように……いくたりか残っただけだ……ひょっとしたらうまくいくかも……どうやら音声の振動を感知できるらしい――海洋生物はたいていそうだ――もっとも、ここの大気は声を運ぶには薄すぎるか……

ファルコン――外部スピーカーを……

こんにちは、聞こえるかな？　わたしの名前はフランク・プール……えへん……人類の親善大使としてここへ来ました……

なんだか間が抜けているが、もっといい案があるというのかい？　それに、記録上も、出発点はこれがいいだろう……

誰も見向きもしてくれない。大きなやつ、小さなやつ、みんな自分たちのイグルーのほうに去っていく。向こうで何をするのか――あとをつけてみるのもいいか。危険がないのはたしかだ――こちらのほうがはるかに動きが速いんだから――

いま、おもしろい風景がよみがえった。おなじ方向へ動いていくこの生物たち――これはちょうど、会社への通勤者の流れにそっくりだ。一日二回、自宅とのあいだを行ったり来たりしていたが、エレクトロニクス時代の到来でその必要がなくなった。

みんな消えてしまわないうちに、もう一度試してみるか……

こんにちは――こちらはフランク・プール、地球という惑星から来ました。わたしの声

が聞こえますか?

聞こえるよ、フランク。こちらはデイブだ。

29　機械のなかの幽霊たち

フランク・プールの直後の反応は呆然とした驚きで、つづいて圧倒的な喜びがやってきた。相手がエウロパ人であれモノリスであれ、コンタクトがとれるとは本気で思ってはいなかったのである。じっさい、そびえる漆黒の壁を腹立ちまぎれに蹴りつけ、「どなたかいますか？」とどなっている場面さえ、一時は妄想したことがあった。

だが、これは驚くほどのことではないのかもしれなかった。ガニメデから彼が接近してくるのを何らかの知性が監視していて、着陸を許したのだ。テッド・カンの話をもうすこしまじめに受けとっていればよかったのかもしれない。

「デイブ」ゆっくりと、「ほんとにきみなのか？」

ほかの誰だというのだ？　と心の一部が問いかえす。にもかかわらず、これはばかげた質問ではなかった。ファルコン号の操縦パネルの小スピーカーからひびいてくる声は、奇妙に機械的――というか、感情が欠けていた。

「そうだ、フランク。わたしはデイブだ」

短い間があり、つぎの瞬間、おなじ声が抑揚の変化もなくつづけた――

「やあ、フランク。こちらはハルだ」

記録 ミス・プリングル

さて――インドラ、ディム――一部始終を記録しておいてよかった。でなければ、絶対に信じてもらえなかっただろう……

どうやらまだショック状態から抜けだしていないようだ。まず第一に、たとえ千年まえのできごとだとしても、ぼくを殺そうとした――いや、殺した――相手をどう考えたらいい？　しかし、いまはハルが悪かったんじゃないとわかる。誰が悪かったわけでもない。いい戒めのことばがあって、よく思いだすよ。「無能から起きたことを悪意のせいにするな」というものだ。千年も昔に死んだプログラマーたちに、怒りなんか感じはしない。

これが暗号化されるのでよかった。どう扱ったらいいかわからない問題だし、これだってまったくたわごとをしゃべっていることになるのかもしれない。すでに情報過多になって、しばらくひとりにしてくれとディブにいったところだ――会うためにこれだけ苦労したあげくにだぜ！　しかし彼の感情を害したとは思わない。そもそも感情があるのかどうか、それもはっきりしない……

彼は何者か――いい質問だ！　そうだな、たしかにデイブ・ボーマンなんだが、人間性というのは大部分抜け落ちて　ちょうど――うう――本の粗筋とか、技術論文みたいになっているといっていい。つまり、要約から基本情報はそっくり得られる――が、著者の人格までは伝わってこない。わかるだろう？　それでいて、ときたまだが、昔のデイブがいるような気がしたりすることもある。ぼくと再会して有頂天だとか、そこまではいいきれない。ほどほどに満足しているというような状態に近いだろう……ぼく個人はというと、どう受けとっていいかわからない複雑な気持だ。たとえるなら、ずっと会っていない旧友と再会したら、別人のようだったというところか。まあ、とにかく千年たったことでもあるし――それに、彼がどういう見聞を積んだのか想像もつかない。もっとも、一部は彼が伝えようとしてくれたので、これは皆さんにもお見せできる。

それにハル――彼がここにいる、それは疑いないことだ。たいていの場合、どちらが話しているのか区別がつかない。多重人格の症例が、医学の文献によくあるだろう？　あれに似たようなものだ。

どうしてこういう事態が生じたのかと訊いてみたら、彼がいうことには――というか、彼らが――ええいっ、ハルマンだ！――説明の努力はしてくれた。くりかえそう――誤解したところもあるかもしれないが、とりあえず作業仮説はこれだけなんだ。

もちろん、モノリスが――現われ方はいろいろあっても――これが鍵だ。いや、これは正確じゃない――宇宙的なスイス・アーミーナイフのようなものだと、そう誰かいわなかったっけ？　この時代にもある、見たんだ。もっともスイスもその陸軍も何世紀も昔に消え失せてしまったがね。要するに、やりたいことは何でもできる万能装置だ。というか、そうプログラムされている……

四百万年まえ、アフリカで、そいつはわれわれの尻をいわば一蹴りして、よかれ悪しかれ進化の道へ押しだした。つぎには月面にその兄弟が待っていて、われわれが揺りかごから這いだす助けをした。このあたりはわれわれもすでに推理していたが、デイブが正式に認めた。

デイブには人間的感情はあまりないとさっきいったが、まだ好奇心はある――学ぶ意欲はもってるんだ。そこへ何という場がひらけたことか！

木星モノリスは彼を吸収した――これ以上ぴったりの形容は思いつかない――というのはいいが、そのとき予定外のものまで抱えこんでしまった。モノリスは彼を使った――研究用の標本にも、地球をさぐる探査体にもしたが、一方で彼のほうもモノリスを利用していたんだ。ハルの助けを借りて――いわれてみれば、スーパーコンピュータを理解するのに、スーパーコンピュータ以上の適任があるかい？――彼はそのメモリをさぐり、目的をつきとめようとしていたんだ。

さて、ここからがなかなか納得しにくいところだ。モノリスはとてつもなく強力なマシンだ——木星がどうなったか見るがいい！——だが、それ以上のものじゃないんだ。これは自動的に動いている。意識は持っていない。一度〈グレート・ウォール〉を蹴とばして、「どなたかいますか？」とどなろうかと考えたことがある。あのときの正しい答えはこうだったんだ——いいえ、誰もいません……デイブとハル以外は……

なお悪いことに、具合の悪いシステムもなかに出てきているらしい。デイブがほのめかすところでは、どこか根源的なところで、馬鹿になってきたと！　おそらくはあまりにも長く放っておかれすぎた——サービス点検の時期なんだ。

それに彼の考えによると、モノリスは少なくとも一度、判断ミスを犯している。というか、これは正しい言い方じゃないかもしれない——わざとだという可能性もある、慎重な計算のうえでのことだと……

何にしても、こいつは——そうだな、ほんとに恐ろしい、背後にほのめかされていることを考えると身の毛もよだつ。さいわい、これは皆さんにお見せできるので、ひとりひとりで判断してほしい。そう、たとえ千年まえ、レオーノフ号が木星へ飛びたった第二ミッションのときに起こったことであってもだ！　しかもこの歳月、誰ひとり考えつきもしなかったとは……

ブレインキャップを用意してくれて助かった。もちろん、すごく役に立ってきた——これなしの人生は考えられないくらいだ。だが、いまブレインキャップは本来の意図とはまったくかけ離れた仕事をしている。それも驚くほどよくやっている。
ハルマンは十分ばかりでこれの仕組みを見つけ、インタフェースをとった。いまではわれわれは心と心でコンタクトしている――これは正直な話、生身の体にはひどい負担だ。もっとゆっくり、赤ちゃん言葉で頼むと、ずっといいつづけさ。おっと、赤ちゃん思考か……

どれくらいうまく伝わるか、ちょっと心配だ。これはモノリスの巨大メモリに保存されていた千年間のデイブの体験なんだ。それをデイブが取り出し、こっちのブレインキャップに送りこんで――仕組みまでは聞かないでくれ――そこからガニメデ中央局経由でそちらに転送される。ヒューッ。皆さん、ダウンロードして頭痛を起こさないでくれるといいが。

デイブ・ボーマンに代わる。ところは木星、時は二十一世紀初頭……

30 うたかたの世界

百万キロにわたって伸びる磁力の巻きひげ、電波のだしぬけな爆発、地球そのものより幅の広い帯電したプラズマの間欠泉――いずれも彼にとってはたしかな存在で、木星をとりまく色とりどりの華やかな雲と同様にくっきりと見えた。その複雑な相互作用のパターンがわかってくるにつれ、人間の想像を超える木星のすばらしさが実感としてせまってきた。

大気さかまく大赤斑の中心に飛びこみ、大陸ほどの大きさの嵐が呼ぶ稲妻をぬって落下していく。地球のハリケーンよりはるかに軽いガスの混成でありながら、大赤斑がなぜ何世紀も永らえてきたのか、彼には納得がいった。動きのおだやかな深みに沈むと、水素の風のかぼそい悲鳴は薄れ、高空から降りしきる雪のなかにはいった。雪ひらは蠟のように青白く、その一部はすでに、炭化水素の泡ぶくから成る、あるかなきかというほどはかない山々に吸収されている。あたりは液体の水が存在しうる程度に暖かくなっているが、ここに海はない。この純粋なガス環境は、水をためるには密度が低すぎるのだ。

雲層をつぎつぎと抜けるうち、人間の目でさえ千キロぐらい眺望のききそうな澄みきった領域に出た。大赤斑の広大な渦動のなかではちっぽけな渦巻きにすぎないが、そこには人が早くから推測しながら確認できないでいる秘密がひそんでいた。

ただよう気泡の山々のふもとをめぐるようにして、数知れぬ小さな、輪郭のはっきりした雲の群れが飛んでいた。みんなほぼおなじ大きさで、似たような赤と茶のぶちがはいっている。しかし小さく見えるのは、周囲の非人間的なスケールと比べてしまうからだ。最小のものでも、おそらくかなりの大きさの都市をのみこんでしまうくらいだろう。

それらが生き物であるのは、浮かぶ山々の斜面に沿って意味ありげに移動していることからもわかる。さしずめ山腹の草をはむ超巨大の羊というところか。彼らはメートル波でたがいに呼びあっている。電波の声はかすかだが、木星の発するすさまじいノイズを通してはっきりと聞こえた。

まさに生きている気球といったところだろう。彼らは厳寒の高みと灼熱の深みにはさまれた狭い大気層に浮かんでいた。そう、なるほど狭い――だが地球の生物圏など比較にならない広大な領域である。

生物はその一種だけではなかった。あまりにも小さいので、ちょっと見には見逃してしまいそうなさまざまな生き物が、群れのなかをちょこまかと動いている。あるものは地球の航空機に気味の悪いほど似ており、大きさもほぼおなじくらい。だが、それもまた生きていた――捕食生物なのか、寄生生物なのか、いや、ひょっとしたら牧童なのか。
まったく新しい進化の一章――エウロパでながめたのと異質さにおいてすこしも劣らない光景が、彼のまえにくりひろげられていた。ここでは地球の海のイカを思わせるジェット推進の魚雷が、巨大な気球を追いたて、むさぼり食っている。しかし気球たちも無防備ではない。なかには電光を放って抵抗したり、鉤爪のある触腕をチェーンソーさながら、周囲一キロにもわたってふりまわしている姿も見える。

幾何学のあらゆる可能性を取り入れた、さらに不思議なかたちも少なくなかった。奇怪な半透明の凧、四面体、球体、多面体、よじれたリボンのかたまり……木星大気圏に生きる桁外れのプランクトン――彼らは上昇気流のなかに糸遊のように浮かびながら、生殖を終えるまでの歳月を生きる。そして深みに舞い落ち、炭化して、新しい世代にリサイクルされるのだ。

彼は調査をつづけた。地球表面積の百倍をゆうに超える世界なので、たくさんの驚異には出会ったが、知性をほのめかすものは何も見当たらなかった。気球生物たちの電波の声にも、単純な警告や恐怖しかこめられていない。高いレベルへの発達の余地を残していると見えた捕食生物さえ、地球でいえばサメとおなじ――心を持たない自動人形だった。

そのうえ、息をのむスケールと新奇さにもかかわらず、木星の生物圏はまさにうたかたの世界だった。霧と気泡の風景のなかに浮かぶ、かぼそい糸と薄っぺらな組織――それは上空の稲妻が降らす石油化学物質の、絶えまない雪からつむぎだされるものだ。石けんの泡以上に堅固な構造を持つものはないに等しい、地球のどんなひよわな肉食獣でさえ、この世界のいちばん凶暴な捕食生物をずたずたに引き裂いてしまうことだろう。

桁(けた)ちがいの規模ではあるものの、エウロパと同様、木星は進化の袋小路なのだ。ここから意識が生まれでることはない。仮に生まれるにしても、いじけたものになることはわかりきっている。あるいは空の文化が現われるのかもしれないが、火というものがありえず、固体がほとんど見られない環境では、その文化は石器時代にさえ到達することはないだろう。

31 保育園

ミス・プリングル

記録

さて、インドラ——ディィム——これであらかたは伝わったと思う。いまもって信じられない気持だ。あのいろんな不思議な生物たち——彼らの電波の声ぐらいはキャッチしてやらなければいけなかったんだ、理解までは無理だとしてもね！——一瞬のうちに抹殺されてしまった、木星を太陽化するためにだ。

その理由もいまはわかる。エウロパ人にチャンスを与えるためだった。何という無慈悲な論理——大切なのは知性だけなのか？　これについてはテッド・カンと長い議論をした

——

すると、つぎの疑問はこうだ。エウロパ人は合格するか——それとも、永遠に幼稚園から抜けられない——いや、そこまでも行かず、保育園どまりになるかということだ。千年というのはたいへん短い期間であるにしても、多少の進歩は期待したいところだが、ディィ

ブによると、彼らは海を出たときとすこしも変わらないらしい。そこがきっと問題なんだ。まだ片足を――片枝か！――海に突っ込んでいるんだ。

で、もうひとつ、われわれがまったく見当違いをしていたことがある。エウロパ人は眠るために水にもどると思っていた。その反対だ――彼らは食うために水にもどり、眠るために陸に上がってくるんだ！ 彼らの体構造――あの複雑な枝分かれ――からうすうす察していたように、プランクトンが常食なんだから……

デイブに訊いた。「彼らの建てるあのイグルーは何なんだ？ あれは技術的進歩の証拠じゃないのか？」すると、そうとはいえないという答えだ。海底につくる構造物の延長で、いろんな捕食生物から身を守るためだという――とくに空飛ぶ絨緞みたいなのがこわいらしい、フットボール・フィールドぐらいの大きさがある……

もっとも、ひとつだけ、彼らが先手を取っている――クリエイティブな才能さえ見せている――分野がある。金属が大好きなんだ。おそらくは海のなかに純粋なかたちでは存在していないからだろう。だからチエン号が解体されてしまったんだ。おなじことが、彼らのテリトリーに降りた探査体にも起こっている。

集めた銅やベリリウムやチタンをどうしているかって？ 残念ながら、利用はしていない。一個所にみんなかためて、途方もない山をあらためてつくっている。美的感覚の芽生えなのかも――近代美術館では、もっとひどいのにお目にかかっているからね……だが、もうひとつ別の理論がある——積荷崇拝というとことばを知ってるかい？　二十世紀に、当時まだ残っていた未開部族のいくつかが、竹を編んで飛行機のかたちをつくって、空を飛ぶ大きな鳥を招き寄せようとしたんだ。その鳥はときどきすてきな土産をもたらしてくれたから。もしかしたらエウロパ人も似たようなことを思いついたのかもしれない。

さて、あんたたちがしつこく尋ねてくる質問だ……ディブとは何なのか？　それに、どういういきさつで彼は——ハルといっしょに——いまのようなものになってしまったのか？

もちろん手っとり早い答えになるが、二人はどちらもモノリスの巨大メモリにおさめられたエミュレーション——というか、シミュレーション(訳註)なんだ。たいていの時間、彼らは活動を解かれている。そのあたりをディブに訊いたところ——彼のことばに従えば——〝目覚めていた〟のは、うう、変身以降の千年間でたったの五十年だそうだ。

命を乗っ取られて腹が立たないかと訊くと、こう答えた。どうして腹を立てる？　自分はりっぱに機能を果たしている、と。そうさ、まさにハルとおなじ口ぶりじゃないか！

だが答えたのはディブだと思う——どこかに違いがあるとすればね。

スイス・アーミーナイフのたとえを覚えているかい？　ハルマンはこの宇宙ナイフの無数の部品のひとつなんだ。

だが、まったく受け身の部品というんじゃない。目覚めているときには、それなりの自律性、多少の自由を持っている——おそらくはモノリスの支配のもとでの制限された自由だろうが。この歳月、彼は知性のある探査体として——いま見たとおりに——木星を調べたり、そのほかガニメデや地球を調査するのに使われていた。これでデイブの姿が目撃されているいろんな神秘的事件の説明もつく。フロリダで昔のガールフレンドが通報してきた件、看護婦がデイブの母親の死の床で見た情景……それにアヌビス・シティでの目撃例もだ。

それに、もうひとつの謎も解ける。これは直接デイブに訊いた。「いままで誰もが何百年も追い返されてきたのに、なぜぼくだけエウロパに着陸が許された？　こっちも追い返されるものと覚悟していたぜ！」

答えはばかみたいに簡単だったよ。モノリスはときどきデイブ——ハルマン——を使って、われわれを監視していたんだ。デイブはぼくの救出のいきさつも知っていた。地球やガニメデで受けたメディア・インタビューも見ていたくらいだ。正直にいって、彼が連絡を取ろうともしてこなかったんで少々傷ついているところはあるがね！　しかし少なくとも、やっとたどり着いたとき、歓迎のドアマットは置いてくれたわけだ……

ディム——あと四十八時間でファルコン号の出発か——こっちが乗るにしろ乗らないにしろだ！　しかしハルマンと接触がとれたからには、もうそんなに時間はいらない。アヌビスからでも楽に連絡がとれる……あちらがその気になればだが。

それに、いまではできるだけ早くグラニメデにもどりたい。ファルコン号はいいシャトルだと思うが、配管系をどうにかしたほうがいいな。ちょっと臭いだしてるし、シャワーを浴びたくてむずむずしている。

みんなに早く会いたいな——とくにテッド・カンに。地球に帰るまえに、いろいろ話したいことがある。

保存
伝送

訳註
どちらもコンピュータ用語で〝動作の模倣〟を意味するが、エミュレーションは、あるコンピュータ・システムを別のコンピュータ・システムでシミュレートすること。ただし、シミュレーションは現実にある現象がモデルであり、ほとんど常に近似的であるのに対し、エミュレーションはどこまでも正確である。

第五部　終　局

費やした労苦も
はじめの過誤を改めることはできぬ
雨は海に注ぐも
いまだに海は塩水のまま
A・E・ハウスマン『さらなる詩集』

32　悠々閑々

ふりかえってみれば、楽しかったけれども波乱のない三十年であり、その折々を彩った喜びと悲しみは、時と運命が人類すべてにもたらすものだ。なかでもいちばん大きな喜びは、まったく思いがけないものだった。事実、地球をあとにガニメデへ向かうまえなら、この発想自体、ばかばかしいと一蹴してしまったことだろう。

離れていると情が深まるという諺には、かなりの真実が含まれている。彼がインドラ・ウォーレスと再会したとき、冗談をとばし、ときたま口論するだけの仲のはずが、思った以上におたがいを身近に感じていることに気づいた。ことはとんとん拍子に進み――そのなかには、娘のドーン・ウォーレスと息子のマーティン・プールという嬉しい贈り物もついていた。

家族を持つには少々遅い年齢で――それが千年ずれたという些細な問題はともかく――

無理かもしれないというアンダースン教授からの警告もあった。いや、悪くすれば……

「きみは思っているよりいろんな意味で幸運なんだぞ」と彼はプールにいったものだ。「放射線のダメージはびっくりするほど少なく、無傷のDNAをもとに肝心なところは全部修復することができた。だがもうすこしテストをしないことには、遺伝的に万全とは保証できない。楽しむのはいい——だがわたしからOKが出るまで、家族をつくるのは遠慮してくれ」

テストにはひどく時間がかかり、アンダースンの心配どおり、ひきつづきの修復も必要だった。大きな失望がひとつ——受胎から最初の二、三週間までは何とかなるにしても、その先の成長は望めないという胎児の例——はあったが、マーティンとドーンは健康で、頭も手も足もちゃんと数がそろっていた。また二人とも顔だち美しく、聡明で、溺愛する両親にスポイルされるところを辛くも切り抜けた。親たちは十五年後、ふたたび独立を選んだが、親しい友人としての交際はつづいた。社会業績評価からすれば、もうひとり子供を持つことも許された——いや、奨励された——が、いままでの驚くばかりの幸運にこれ以上の負担をかけたくはなかった。

この間、ひとつの悲劇がプールの私生活に暗い影を落とした——じっさい、これは全太陽系社会を揺るがした事件だった。ゴライアス号の調査していた彗星の核がとつぜん爆発し、チャンドラー船長ほかクルー全員がこれに巻きこまれ、船の破片がいくつか回収された以外は木端微塵に破壊されたのである。こうした爆発は——極低温で存在する不安定な粒子が核反応を起こすことからはじまる——彗星の捕獲業者たちのあいだではよく知られた危険であり、チャンドラー自身、この仕事にはいって幾たびか出会っていた。これほど経験を積んだスペースマンが不意打ちをくらうとは、いったいどういう状況だったのか、それはおそらく誰にもわからないだろう。

チャンドラーの死はプールには痛手だった。彼の人生でチャンドラーが果たした役割はかけがえのないもので、おなじくらいの重みを持つ者は——大きな冒険を分かちあったデイブ・ボーマンを除けば——ほかにいない。二人でまた宇宙へ出ようとたびたび計画を立てたものだ。できることなら、はるかなオールトの雲まで——そこには知られざる神秘と無尽蔵の氷が待ちうけている。ところが、二人のスケジュールが折り合わず、待ち望まれた未来はついに実現することなく終わってしまった。

もうひとつの待望の未来は、プールも——医師たちの命令に逆らって——なんとか実現させた。地球へ降りたのである。だがこの経験は一度で充分だった。

彼が地球旅行に使った乗物は、彼の生まれた時代、恵まれた両足麻痺患者がすわった車椅子とほとんど変わらなかった。モーター付きで、バルーンタイヤはそこそこの平地なら楽に走る。しかしながら、これには浮揚性能があり、小型の強力なファンが引き起こすエアクッションに乗って、地上二十センチの高さを飛ぶことができた。プールはこうした素朴なテクノロジーがいまだに使われていると知って驚いたが、慣性制御装置は、こうした小さな規模の用途にはかさばりすぎるのだ。

浮揚クラフトならぬホバーチェアに安楽にすわりながら、プールは体重の増加をほとんど意識することなく、アフリカの心臓部へ降下した。呼吸がすこし苦しくなるのに気づいたが、宇宙飛行士の訓練中にはもっと辛い目にあっていた。まったく予期していなかったのは、タワー基部に着いて天をつらぬく巨大な円筒から走り出たとたん、彼をおそった溶鉱炉並みの熱風だった。ところが時刻はまだ朝なのである。正午にはどうなることやら。

熱気に慣れるいとまもなく、つぎには臭いの攻撃にさらされた。数知れない臭いが——不愉快ではないが、馴染みのないものばかりだ——やかましく彼の嗅覚をかきたてた。プールは何分か目をつむり、インプット回路にかかる負担をやりすごそうとした。目をあける決心がつかないでいるうちに、大きな濡れた物体が彼の首筋をなでまわした。

「エリザベスに挨拶してやってください」とガイドがいった。がっしりした体つきの若い男で、着ている〈偉大なる白人ハンター〉の伝統的衣装は、格好がよすぎて実地に使われたことはなさそうだ。「公式の歓迎係なんです」

椅子のなかで体をまわすと、そこには赤ちゃん象のつぶらな瞳があった。

「はじめまして、エリザベス」と答えたが、声に力がはいらない。エリザベスのほうは長い鼻を持ちあげて挨拶すると、上品な社会ではあまり聞かれない叫びをあげたが、それが善意のものであることはプールも疑わなかった。

合計して、彼は一時間足らずを惑星・地球で過ごし、とあるジャングルの周辺をめぐり、スカイランドと比べると貧弱な木々をながめ、地元のさまざまな動物を見物した。ライオンたちが観光客に甘やかされ、すっかり人なつっこくなっているのには案内係も平謝りだった。だが、クロコダイルの凶暴な面構えは、失望を補ってあまりあった。ここにはまだ変わらぬ原生状態の自然が残っているのだ。

タワーへ引き返すまえ、プールは危険をおかして、ホバーチェア無しに歩く実験を試みた。もうひとり分の自分を背中にしょって歩くのとおなじだということには気づいていたが、それほど不可能な芸当にも思えず、実行してみないことには将来にも長く悔いを残しそうだった。

これはあまり名案ではなかった。実行するなら、もうすこし涼しい気候でやるべきだったかもしれない。十歩足らず歩いただけで、ホバーチェアのデラックスな抱擁のなかに嬉々として沈みこんでいた。

「もう充分だ」とプールはげんなりした声をあげた。「タワーにもどろう」

エレベーター・ロビーへ進みかけたとき、ひとつの銘板が目にとまった。着いたときは、興奮のあまり気づかなかったものだ。

ようこそ、アフリカへ！


「野生においてこそ世界は保たれる」

ヘンリー・デイビッド・ソロー（一八一七—一八六二）

プールがじっとながめているのを見て、ガイドがたずねた。「ご存じの方ですか？」

このての質問は数えきれないほど受けているが、いまはまともに応対する余裕はなかった。

「いや」と疲れた声で答えたときには、うしろで大きなドアが閉まり、人類のふるさとの風景と臭いと物音を締めだした。

このエレベーター・サファリで地球を体験したいという欲求はおさまり、あとは一〇〇〇〇階の高みにあるアパート——この民主社会にあっても、やはり高級住宅地だ——に帰りつき、地上でこうむった種々の痛みと苦しみを黙殺するだけとなった。ところがインドラは彼のありさまを見るや、軽いショックを受けたようすで、ベッドへ直行するように命じた。

「まるでアンタイオスそっくり——状態は逆だけど！」と険悪につぶやいた。

「誰だって？」とプールはきいた。妻の博識にはときおり圧倒されるが、劣等感にはまりこまないように固く心に決めていた。

「大地の女神ガイアの息子。ヘラクレスが取っ組みあいをした相手——けれども、大地に投げつけられるたびに、アンタイオスは力をとりもどすの」

「どっちが勝ったんだ？」

「ヘラクレスよ、もちろん——アンタイオスを宙に持ちあげて、母親がバッテリーの充電をさせないようにしてしまったから」

「まあ、こっちの充電は遠からず終わりそうだ。それに、ひとつ勉強をした。もっと運動をしないと、月重力レベルに引っ越さなければならなくなるということさ」

プールの高い志はまる一カ月つづいた。毎朝、アフリカ・タワーの違うレベルを選んで、五キロの速足散歩に出かけるのである。多くの階は、足音のこだまする広大な金属の砂漠で、この先も人間が住むことはないかもしれなかったが、ほかの階は、この数百年間に景観設計がほどこされ、開発されて、目のさめるような建築様式のバラエティを競っていた。過ぎ去った時代と文化を借用したものもあれば、プールには興味のないさまざまな未来を描いたものもあった。少なくとも退屈するおそれはなく、歩く彼のうしろには、すこし距離をおいて、人なつっこい子供たちの小グループがつき従った。しかし彼のスピードに長く追いついていける子供は少なかった。

ある日、真に迫った——といっても、人けのほとんどない——シャンゼリゼ通りのまがいものを歩いている途中、懐かしい顔にばったりと出くわした。

「ダニル！」と呼びかけた。

た。

相手の男は気づいたようすもなく、プールが再度もっと大きな声で呼んでも無反応だった。

「わたしを覚えていないのかい？」

ダニルは――追いついたいま、見まちがいではないという確信があった――心底まごついた顔をしている。

「失礼。あなたはプール中佐ですね、もちろん。しかし、あなたにお目にかかったことはないはずだが」

今度はプールがまごつく番だった。

「うっかりしていた」と彼はわびた。「人違いをしてしまったようです。ごめんなさい」

これはうれしい出会いで、ダニルが正常社会へ復帰できたとわかって満足だった。ダニルの犯罪が手斧殺人であれ、図書館の本の借りっぱなしであれ、もはやそれはかつての雇い主の知るべきことではない。収支決算は済み、帳簿は閉じられたのだ。若いころ楽しんだ刑事ものドラマが懐かしいときもあったが、いまプールはこの時代の知恵を受け入れていた。病的な行動への過度の興味は、それ自体病的なものなのだ。

ミス・プリングル（マークⅢ）の助けを借り、生活スケジュールを組み立てられるので、ときにはまったくの空白の時間もあり、そういうときにはくつろいで、ブレインキャップを〈ランダム検索〉にし、興味ある分野をスキャンした。身近な家族を別にすれば、彼の主たる関心はあいかわらず木星／ルシファーの衛星群にあったが、いまやこの方面の最高権威と見なされているのだから、これは無理からぬことで、また彼はエウロパ委員会の終身メンバーでもあった。

同委員会は千年近くまえ、この謎めいた衛星について何かできることがあるか、また何をなすべきかを考えるために発足した。委員会が長年にわたって集めた情報は厖大な量にのぼり、さかのぼればはるかな昔、ボイジャーが木星を近傍通過した一九七九年、そしてガリレオ宇宙船がはじめて詳しい軌道観測をおこなった一九九六年にまで及ぶ。

長命な組織の例にもれず、エウロパ委員会もしだいに化石化し、近ごろでは新しい進展があったとき集まるだけとなっていた。ハルマンが再出現したときには、あわてて活動をはじめたが、そのとき任命されたエネルギッシュな新議長が最初におこなったのはプール入会の決議だった。

記録が存在しないような部分でプールに寄与できることはほとんどなかったが、委員会に入会できたことには満足した。いつでも相談に応じられるようにするのは彼の義務であり、また公式の役職を得て、なにかと不安定だった身分も保障されたからである。それまでの地位は、昔なら〝国宝〟というようなもので、あまり居心地がいいとはいえなかった。それはたしかにここの暮らしには感謝しており、戦禍に荒廃した過去の時代からは想像もつかない豊かさを満喫しているが、プールにはいまの生き方を正当化する何かが必要だった。彼にはもうひとつ必要なものがあり、これは親しい人間に向かってはおろか、自分ひとりのときでさえ口にしたことはなかった。三十年まえ、短時間ではあれ、ハルマンは彼に話しかけてきたのだ。もしその気になれば、ふたたびハルマンと話せるという確信がプールにはあった。ハルマンはもう人間とのコンタクトに興味を失っているだろうか？ そうではないと思いたかったが、ハルマンの沈黙の理由はそんなところにもあるのかもしれなかった。

いまでもプールが連絡をとっているのはセオドア・カン——あいかわらず元気いっぱいかつ辛辣な男で、エウロパ委員会ガニメデ代表を務めている。プールが地球へ帰って以来、カンはボーマンとのコミュニケーションの方途をさぐっていたが、成果は上がっていなかった。哲学・歴史方面の決定的に重要な質問を長いリストにして送ったのに、なぜ受けとったという短い返事さえも来ないのか、彼にはさっぱり理由がわからないのだった。

「あんたの友人のハルマンはモノリスとのつきあいに忙しくて、わたしと話すひまもないのかね？」と彼はプールに愚痴をこぼした。「彼はいったいどうやって時間をつぶしているんだ？」

それはたいへんもっともな質問であり、答えは青天の霹靂のように、ボーマン自身からやってきた——それも、映話での呼出しというまったくありふれた方法で。

33　コンタクト

「やあ、フランク。こちらはデイブだ。たいへん重要なメッセージをきみに持ってきた。きみはいまアフリカ・タワーの自室にいるんだろうな。もしいるのなら、われわれの軌道力学の先生の名前をいって、身元を明かしてくれ。六十秒待つが、返事がなければ、ちょうど一時間後にもう一度呼ぶ」

その一分間は、ショックから立ち直ろうにもプールには短かすぎた。喜びが、まさかという思いと同時にこみあげたが、たちまち別の感情と入れ替わった。ボーマンからまた連絡がはいったのは嬉しいが、〝たいへん重要なメッセージ〟という言いまわしは、明らかに不気味だった。

思いだせる名前はいまではそんなに多くないが、聞かれたのがそのうちのひとつでよかった、とプールは思った。それにしても、誰が忘れられようか――ひどいグラスゴー訛りで、慣れるまでに生徒たちが一週間もかかったあのスコットランド人を？　だが教師としてはすばらしかった――何をしゃべっているか理解できるようになってからの話だが。

「グレゴリー・マクビティ博士」

「そのとおり。では、ブレインキャップの受信器をオンにしてくれ。このメッセージのダウンロードには三分かかる。モニターするのはやめろ。10対1の圧縮比を使う。二分余裕をおいてからはじめる」

どうやったらこんな芸当ができるのか？　プールは不思議に思った。木星／ルシファーはいま五十光分離れているので、このメッセージは一時間近くもまえに発信されていることになる。おそらくは正確にアドレス指定されたパッケージに詰め、知的な仲介プログラムとともに、ガニメデ＝地球ビームに乗せられたにちがいない。しかしハルマンにすれば、これはたやすいことだ。モノリスに隠された力を彼はいくらでも利用できるのだから。

ブレインボックスの指示ランプがまたたいている。メッセージがはいりはじめたのだ。ハルマンが使っている圧縮比から見積もれば、プールがリアルタイムでこのメッセージを吸収するには三十分かかる。しかし平和な暮らしにとつぜん終止符が打たれたことに気づくには、わずか十分しかかからなかった。

34 決断

あらゆる人間に瞬時に情報が行きわたる世界では、秘密を守ることはたいへんむずかしい。この問題はじかに顔を合わせて論じるしかないと、プールはすぐに決断した。

エウロパ委員会からは不満のつぶやきがもれたが、全員が彼のアパートに集結した。出席は七人。これはラッキー・ナンバーで、おそらくは月の満ち欠けの相に由来するものだろう、昔から人類を魅了してやまなかった数字である。委員のうち三人とは初対面だったが、いまではプールは、ブレインキャップなしの時代には考えられなかったほど、彼らのことを熟知していた。

「オコナー議長、委員の方々――エウロパから届いたメッセージを皆さんがダウンロードするまえに、ちょっと説明を加えさせてください――ほんの二言三言ですので、お許しを！　それから、これは口頭でおこないたいと思います。わたしにはこちらのほうが自然なようで――もうしわけありませんが、脳から脳への直接の転送はどうもぎこちなくなってしまうのです。

ご存じのように、デイブ・ボーマンとハルは、エウロパ上のモノリスにエミュレーションとして保存されています。どうやらモノリスは一度役に立つと見た道具は捨てず、ときおりハルマンを起動して、われわれの動きを――モノリスにかかわるような動きが出てきた場合――モニターしているらしい。これはひょっとしたら、わたしの到着がきっかけになったのかもしれません――というのは、勝手なうぬぼれですが。

しかしハルマンはたんなる受け身の道具というのでもない。デイブという構成要素（コンポーネント）は、いまでも多少の人間らしさ――感情らしいものを残しています。昔いっしょに訓練を受けた仲間で――食事も何も数年間いっしょでしたから、ほかの人間よりもわたしとのほうがコミュニケーションしやすいらしい。やりとりができるのを楽しんでいると思いたいが、これはちょっと言いすぎでしょう……

彼にはまた好奇心――探究心があり、もしかするとモノリスに取りこまれてしまったいまの状態にいくらか腹を立てています。まさに野生動物の標本並みの扱われ方ですから……しかしわれわれは現実に、そういう存在なのでしょう、モノリスを造りだした知性から見ればね。

さて、その知性はいまどこにいるのか？　ハルマンは知っているようですが、その答えは戦慄すべきものです。

昔からうすうす察してはいたように、モノリスはある種の銀河系規模のネットワークの一部です。そのいちばん近い節点（ノード）――モノリスのコントローラー、というか直属の上司――は、四百五十光年のかなたにあります。

のんびりとかまえるには少々近すぎる！　どういうことかといいますと、二十一世紀の初頭に送られたわれわれの存在と動きについてのレポートは、すでに五百年まえに向こうにとどいていることになるからです。もしモノリスの上司――監督者、にしましょうか――がすぐに返答していれば、つづく指令はちょうどいまごろ届くことになる。

じっさい、そういう事態が現在まさに進行中らしいのです。この数日、モノリスはつづけざまにメッセージを受信しており、これと連係して、新しい計画を立てているようです。

残念ながら指令の内容は、ハルマンには推測するしかありません。このタブレットをダウンロードすれば見えてくるように、彼にはモノリスの回路やメモリバンクにある程度のアクセス権を持ち、ある種の会話をモノリスと交わしてもいます。というか、それが正しい用語であればですが――会話には二人の人間が必要ですから！　しかし、いまもって呑みこみにくいのは、モノリスがあれほど強大な力を持ちながら、意識を持たないことです――存在するという自覚がないとは！

ハルマンは過去千年――ときに応じて――この問題を考え、われわれとおなじ答えに到達しました。しかし彼の出した結論のほうがはるかに重みが大きいのは当然でしょう――だいいち内部情報に通じている。

失礼！　洒落をいうつもりはありませんでした。しかし、ほかにどういえますか？　われわれを創造する労をとった――というか、少なくともわれわれの祖先の心と遺伝子に干渉した――何者かが、つぎの決断に移ろうとしているのです。そしてハルマンは悲観的です。いや、これは誇張のしすぎだ。いい替えましょう。彼は人類の未来にあまりいい展望は持っていないが、つきはなした視点を得たため、くよくよと悩んでいるわけでもないのです。人類の未来――生存の見込み、ですな！――は、彼にはちょっとおもしろい問題という程度のものですが、助力を惜しんではいません」

プールは不意にことばを呑み、熱心に聞き入っていた出席者たちを驚かせた。

「不思議なことです。いまびっくりするような昔の思い出がひらめきました……これでいま進行中のできごとの説明がつくのではないかな。もうすこしご辛抱ください……

デイブとわたしはある日、ケープの砂浜を散歩していました。出発の二、三週間まえのことでしたが、砂のうえに大きな甲虫を見つけました。よくあるように、仰向けにころがって、体勢を立て直そうと足をばたつかせていました。

わたしは知らんぷりでしたが――込みいった技術問題を議論していたところなので――デイブは違いました。彼は踏みだすと、そっと靴で虫を起こしました。飛び去る虫を見ながら、わたしは口をはさみました。〝きみはいいことをしたと思うか？　助かったからには、飛んでいって誰かのご自慢の菊をちょん切ってしまうぞ〟――すると彼は答えました。

〝きみのいうとおりかもな。しかし、ぼくは〈疑わしきは罰せず〉で行きたいんだ〟

もうしわけありません――ごく短く、二言三言と約束したはずなのに！　しかしこのエピソードを思いだして、嬉しく思っています。これを考えるとき、ハルマンの伝えるメッセージを正しい視野のもとにおくことができると信じるからです。彼は人類に〈疑わしきは罰せず〉の態度で臨もうとしていると……

さて、皆さんのブレインキャップをお確かめください。これは高密度レコーディングです――紫外線帯域のいちばん上、チャンネル110。楽にして、ただし、しっかりと目をすえてごらんください。さあ、はじめましょう……」

35 作戦会議

誰もリプレイを催促しなかった。一度で充分なのだ。やがて議長のオコナー博士がブレイ

プレイバックが終わると、つかのま静寂が下りた。やがて議長のオコナー博士がブレイ

ンキャップを脱いだ。つるつるの頭を揉んで、ゆっくりと彼女はいった。

「厄介な問題。あなたから教わった昔のことばが、これにはぴったりのように思えますね。これはパンドラの箱です」

「しかし開けたのはボーマン――ハルマンだけだ」とひとりの委員がいった。「彼にはモノリスみたいに複雑なものの仕組みが理解できるのだろうか？　それとも、この筋書き全体が彼の空想の産物じゃないのかね？」

「彼にはあまり想像力があるとは思えませんね」とオコナー博士。「それに何もかもが符合します。とくに蠍座新星の問題は。わたしたちは事故だと思っていましたが、どうやらあれは――決断だったらしい」

「はじめは木星――今度は蠍座か」といったのはクラウスマン博士。傑出した物理学者で、

世間では伝説の人アインシュタインの生まれ変わりともっぱら評判が高い。ちょっとした形成外科手術も、この後押しをしているという噂がある。「つぎの順番はどこか、だ」

「TMA群はわたしたちをモニターしていた」と議長。「これは昔から推測されていたことです」彼女はすこし間をおき、悲しげにつけ加えた。「なんと——なんと運の悪いこと！ 最後のレポートの発信されたのが、人類の歴史のなかでも最悪の時期のすぐあとだったなんて！」

ふたたび静けさが下りた。二十世紀がしばしば〈痛苦の世紀〉と呼ばれていることは、誰もが知っていた。

プールは口をはさむことなく聞き、何らかのコンセンサスが現われるのを待った。一度ならず、彼は委員会の質の高さに驚かされた。持論の証明にうつつを抜かす者もいなければ、ディベートのポイント稼ぎに走る者もなく、エゴを膨張させる者もいないのだ。彼の生まれた時代によく戦わされていた険悪な議論——宇宙局のエンジニアや管理者、上下院議員、企業の重役たちの言い争いと引き比べたくなるのは仕方がないことだった。

そう、たしかに人類は向上した。ブレインキャップはたんに不適格者を排除するだけに有効であったばかりでなく、教育の効率をとてつもなく高めたのだ。とはいえ、マイナス面もないではない。この社会には、一度会ったら忘れられないような人びとはたいへん少なかった。思いつくのはわずかに四人——インドラ、チャンドラー船長、カン博士、そして遠い日の思い出――ドラゴン・レディだ。

オコナー議長は議論の流れを右に左にさばき、みんなに言い分をいわせると、最後に総括にはいった。

「明々白々な第一の問題――この脅威をわたしたちはどれほど真剣に受けとるべきか――は、時間をとって論じるほどではありませんね。たとえ人騒がせな虚報であれ、誤解であれ、これはあまりにも容易ならぬ内容なので、とりあえずは事実と仮定するしかありません。事実ではないという絶対の証拠が出てくるまでは、この前提は動かせません。なにか異議は？

よしとします。また、どれくらい時間的余裕があるかもわかりません。したがって、危険は間近にせまっていると仮定するしかありません。ひょっとしたらハルマンがつぎの警告を送ってくれるかもしれませんが、そのときには手遅れの可能性もあります。

ということで、決断が必要なのは、つぎの点だけでしょう。モノリスのような強大な存在に対して、わたしたちはどのように身を守ったらいいのか？　考えてごらんになるといいわ。木星に何が起こったか！　それから、どうやら蠍座新星にも……

武力はおそらく無効でしょう――その選択肢ももちろん考えますけれど。クラウスマン先生、スーパー爆弾を造るのにどれくらいかかりそうですか？」

「設計図がまだ残っていれば、研究は不要になるから――そうですな、二週間というところか。熱核兵器はどっちかといえば、造りも単純で、ありふれた原料を使う——じっさい、第二ミレニアムにもこれが生産されていたくらいで！　しかし、もっと高級なもの——たとえば反物質爆弾とかミニ・ブラックホールがほしければ——そうね、二、三ヵ月はかかるかもしれない」

「ありがとう。その辺をもっと調べていただけます？　しかし、はじめにもいったように、これがうまくいくとは思いません。あれほどの力をあやつる存在なら、きっと防御の方法も持っているでしょう。ということで——何かほかに提案は？」

「交渉はできないものかね？」とひとりの委員がいったが、期待する表情ではなかった。

「何と……というか、誰とだね？」クラウスマンが応じた。「すでにはっきりしたように、モノリスは基本的に純粋なメカニズムであって、プログラムされたことをやっているだけだ。おそらくはそのプログラム自体に多少の融通性があるんだろうが、それを知る方法がない。それに〝本部〟に訴えでようにも方法がない——なにせ五百光年のかなただ！」

プールは口をはさまずに聞き入った。彼の出る幕ではないし、話題の大半は彼の理解にあまるものだった。憂鬱が心のうちに忍び寄ってくるのが感じられた。こんな情報は流さないほうがよかったのだろうか？　そう思った。もし虚報であれば、誰もこわい思いをする必要はない。仮に事実だとしても——まあ、何であれ逃れられない運命が到来するまで、人類は心の平安を保つことができる。

暗い思いにひたっているとき、とつぜん彼の耳に聞き慣れたことばが飛びこんできた。委員のなかでも小柄であまり目立たず、名前があまりにも長くむずかしくて、プール自身、覚えるどころか発音することもできなかった人物が、不意にひとつのことばを議論のなかに投じたのだ。

「トロイの木馬だ！」

ひととき〝緊張をはらんだ〟と形容される沈黙があり、つぎにはどっと「なぜ思いつかなかったんだ！」「もちろん！」「それは名案！」の合唱。そして会議にはいって以来、はじめて議長が静粛を求めた。

「ありがとう、シルグナナサムパンサムウルシー教授」オコナー博士は一息にいった。「もうすこし具体的に話していただけますか？」

「いいですとも。もしモノリスが、皆さんのお考えのように、基本的に意識を持たないマシンであって——そのため、限られた自己モニター能力しか持たないならば、われわれの側には、もうとっくにモノリスを倒す兵器があるのかもしれません。〈保管庫〉に密封されて」

「それに、配送システム——ハルマンだ！」

「ご名答」

「ちょっとお待ちを、シルグナナ博士。われわれはモノリスの構造については、何も——

まったく何も――知らないのですよ。われわれみたいな未発達な種属のこしらえたものが、どうやってあれに対して有効だと確信が持てるのですか？」

「それは無理です。しかし、これは頭に刻んでおいていい。どんなに洗練されていようが、モノリスにしても、アリストテレスとブールが遠い昔に定式化した普遍的な論理法則に従うしかないのだから。であるなら、モノリスが〈保管庫〉に封じ込められたものに対して無抵抗なこともありうる――いや、無抵抗にちがいない。それらを合体させ、少なくともそのうちのいずれかが力を発揮するようにするのですな。それが唯一の望みです――誰かがもっとよい代案を思いつかないかぎり」

「あのう」とプールがしびれを切らした。「どなたか教えていただきたいな。いま話題になっているその有名な〈保管庫〉とやらは、いったい何で、どこにあるのか？」

36 恐怖の部屋

歴史は悪夢に満ちている。天然の悪夢もあれば、人工の悪夢もある。

二十一世紀の末ごろには、おおかたの天然の悪夢――痘瘡（とうそう）、ペスト、エイズ、またアフリカのジャングル地帯にひそむ恐ろしいウィルスなどは、医学の進歩によって駆逐されるか、でなければ手に負えるものになった。しかしながら、大自然の技（わざ）をあなどるのは賢明なことではない。この先まだ、不愉快な生物学的びっくり箱が、人類の行くてにいくつも待ちかまえていることを疑う者はいなかった。

というわけで、こうした恐怖すべてを後世の科学研究のためにいくらかなりと保存しておくことは、良識ある対策のように思われた。もちろん防備は完全なものとし、漏れだして人類をふたたび打ちのめすようなことは決してあってはならない。だが、そうしたことが絶対に起きないと、いったい誰が保証できるというのか？

二十世紀の末、地上で知られる最後の痘瘡ウィルスを、アメリカとロシアの防疫センターに保存しようという提案がなされたとき、激しい抗議の声が――当然ながら――わきおこった。どれほどありえないことに見えようが、何らかの事故――たとえば地震、装置の故障、へたをすればテロリスト・グループによる計画的な破壊活動――によって、病原体がまき散らされる危険は常にある程度含まれているのである。

誰もが納得した解決法（ただし〈月の原野を保護しよう！〉という過激派は除く）は、それらを月へ運び、地底の施設に保管するというものだった。施設は、〈雨の海〉でもひときわ目立つ孤峰ピコの地下、深さ一キロメートルのシャフトのいちばん奥に建設された。そしてここには、長い歳月を経るうち、人類の誤った才気――いや、狂気――の目をみはる産物も加わることになった。

ここには有毒なガスや蒸気も送りこまれた。目にとまらぬほどの量であっても、じょじょに、あるいはたちどころに死をもたらす類のものである。なかにはカルト教団の信者たちが、狂ってはいるが豊かな科学知識をたくわえて生産したものもあった。多くの教団は、世界の終わりが間近であると信じていた（といっても、もちろん信徒は救われるのだが）。もし神がうっかり予定どおりに事をおこなわなかった場合にそなえ、彼らはこの悲しむべき落ち度を正す立場にたとうとしたのである。

こうした殺人教団のはじめのころの目標は、込みあった地下鉄、世界博、スポーツ・スタジアム、ポップス・コンサートなどなど……何万人もが死に、それをうわまわる数が傷つき、二十一世紀のはじめになって、狂気はやっと抑制された。よくあるように、悪からも多少の善は生まれるもので、世界の警察力はかつてない協力関係をせまられることとなり、政治テロリズムを助長していた二、三のならず者国家も、このでたらめで予測不能の凶悪犯罪を見過ごすわけにはいかなくなった。

こうした攻撃――また戦争の初期形態――に用いられた化学兵器・生物兵器も、ピコの恐ろしい収集品に加わった。また解毒剤がある場合には、それもいっしょに保管された。こうした物質が二度と人類とかかわりを持たないように、という願いはこめられている――が、あいかわらず手のとどくところにあり、厳重な警備のもと、なにか予期されない危急のときにそなえて格納されているのである。

ピコ保管庫にある三種類めの収集品は、疫病に分類されるが、人を殺すことも傷つけることも――直接には――しないものだった。二十世紀の終わり近くまで影も形もなかったものだが、わずか二、三十年のうちに何十億ドルという損害を与え、病気とおなじくらい効果的に人びとの暮らしを破壊した。それは人類のいちばん新しい万能の召使い、コンピュータにとりつく病いだった。

医学辞典から名前をとった怪物たち――ウイルス、プリオン、テープワーム――彼らはその由来となった生物の行動を恐ろしいばかりに正確にまねるプログラムだった。なかには無害なものもある――せいぜいおどけた悪戯（いたずら）といった程度で、ディスプレイ画面にとんでもない映像やメッセージをすべりこませて、コンピュータ操作員を驚かせたり楽しませたりする。だが、その他ははるかに邪悪──大惨事の運び手として意図的に設計されたものだった。

たいていの場合、それらは金銭が目的だった。コンピュータ・システムが商業活動のかなめとなった時代、あか抜けた犯罪者が銀行や企業をゆするために使った武器である。匿名の在外口座番号(オフショア)に数百万ドルを振りこまないかぎり、ある時刻にデータ・バンクが自動的に消去されるという脅しが舞いこむと、ほとんどの被害者は回復不能の災害をまぬがれる道を選んだ。彼らはおとなしく支払い、多くは──社会的混乱や内輪の騒動を避けるために──警察にも知らせなかった。

プライバシーを求めるこうしたもっともな欲求のおかげで、ネットワーク強盗は電子街道でたやすく犯罪行為をはたらくことができた。たとえ捕まっても、彼らはこうした新型犯罪を取り締まる方法を知らない法システムによって、優しく扱われた。そもそも彼らはべつに誰かを傷つけたというわけではないのだ。違うか？　事実、短い刑期を務めて出所すると、加害者はこっそりと被害者側に雇用されることが多かった。密猟者はいちばん優秀な猟場番人になる、という古い諺どおりに。

こうしたコンピュータ犯罪者は純粋に欲得ずくで行動するので、餌食(えじき)となる組織を滅ぼす意志はまったくなかった。りこうな寄生虫は宿主を殺さないものだ。しかし犯罪者は彼らばかりではない。もっとはるかに危険な社会の敵が、活動をはじめていた……

通例、彼らは社会への不適応者――とりわけ青年期の男性――で、人に知られることなく、まったく単独で犯行に及んだ。彼らの狙いは、無秩序と混乱をひきおこすプログラムを創り、世界的な有線・無線のネットワークに乗せ、あるいはディスケットやCD－ROMなどの物質的容器に入れて地球全土にばらまくことにあった。そして社会が大混乱におちいるのをながめながら、その卑小な心を権力妄想にひたりこませて悦に入るのである。ときには、こうした歪んだ天才たちは、国の情報機関に見つかって取りこまれ、秘密目的に利用されることもあった――たとえば、ライバル国家のデータ・バンクに押し入るといった仕事である。これは当該組織が多少とも社会的責任をわきまえているという意味で、そんなに害のない就職口といえた。

しかし破滅思想を説く教団はこの限りではなく、彼らは新しい可能性に飛びついた。なにしろ、ガスや細菌よりはるかに有効な――しかも、はるかにたやすくまき散らすことのできる――兵器なのだ。そのうえ反撃することもたいへんむずかしい――というのは、一瞬のうちに、何百万というオフィスや家庭に送りつけることが可能だからである。

二〇〇五年のニューヨーク・ハバナ銀行の瓦解、二〇〇七年のインドの核ミサイル群発射事故（さいわい核弾頭は不活性化されていた）、二〇〇八年のパン・ヨーロッパ航空交通管制機関の活動停止、同年の北アメリカ電話ネットワークの機能麻痺――こうした事件はすべてカルト教団による最後の審判の日のリハーサルだった。さいわい各国の情報機関が、ふだんの不仲や交戦状態を乗り越えて対情報活動に力をそそいだため、この脅威はじょじょに抑止された。

というか、少なくともそのように信じられた。社会基盤そのものへのまっこうからの挑戦は、ここ数百年ふっつりと絶えたからである。この勝利にいちばん貢献した兵器は、明らかにブレインキャップである。だが一方、勝利の代価はあまりにも大きすぎたと考える人びとも少なくなかった。

個人の自由か、国家への義務かという議論は、プラトンやアリストテレスが体系化を試みて以来の問題で、おそらく時の果てまで決着がつくことはないだろう。だが第三ミレニアムにはいって、ある種の合意は成立していた。共産主義がもっとも完全な政体であることは、衆目の一致するところだったが、残念ながらこれが通用するのは、社会昆虫、二級ロボットほか、同様のカテゴリーだけに限られることが——億万の人命を代償に——証明された。人間という不完全な生き物にとって、なかでもいちばんマシな答えは民主主義、すなわち——〈有能だが熱心さはほどほどの政府によって手綱をかけられた個人的欲望の追求〉としばしば定義されるものだった。

ブレインキャップが普及しはじめて間もなく、たいへん頭のきれる——しかも最大級に仕事熱心な——官僚たちが、これをユニークな早期警戒システムに利用することを思いついた。試着の段階で、新しい使用者の精神が〝計測〟されている最中、種々の精神病を、危険な徴候が出るまえに発見できるようになったのである。ここから最善の治療へ道がひらけることも多く、また治癒の見込みがない場合でも、患者に電子的な〝標識〟をつけるか、重度の場合には社会から隔離することができた。もちろん、この精神モニター方式は、ブレインキャップを装着する人間だけにしか使うことはできない——だが第三ミレニアムの末には、携帯電話の初期のころとおなじように、それは日常生活に不可欠のものとなっていた。事実、大多数の動きに加わろうとしない者は自動的に疑われ、潜在的な異常者として検査された。

いうまでもないことだが、評論家たちが呼ぶところの〝精神査定〟が普及するにつれ、さまざまな公民権団体から怒りの声がわきおこった。なかでもいちばん評判をとったスローガンは、「ブレインキャップかブレインコップ（頭脳警察）か？」というものだった。じょじょに——不承不承にというべきか——このモニター行為は、より大きな悪に対する予防措置として認められるようになった。また心の健康状態が総じて向上するにつれ、宗教的な狂信がみるまに衰退していったことも偶然ではない。

サイバーネット犯罪者との長引く戦争が終わったとき、勝者たちの手に残ったのは、処置にこまる戦利品の山——旧来の戦争の勝利者なら、だれもが目を白黒させるような代物だった。コンピュータ・ウイルスは、もちろん何百という種類があり、そのほとんどは見つけるのも退治するのもきわめてむずかしい。なかには輪をかけて恐ろしい〝存在〟——

としか呼びようがないもの――もある。すべて、独創のきわみというべき新発明の病いであり、治療法はなかった。それどころか、治療の可能性さえ見えないものもあった……

　多くは偉大な数学者にちなんで名付けられたが、当の数学者たちがこれを聞いたなら、自分の発見の堕落ぶりに身の毛のよだつ思いをしたことだろう。動かしがたい危険にばかげた名前をつけて卑小化するのは人間の特性なので、名称はこっけいなものが多かった――〈ゲーデル・グレムリン〉〈マンデルブロー迷宮〉、また〈組み合わせカタストロフィ〉〈超限トラップ〉〈コンウェイなぞなぞ〉〈チューリング魚雷〉〈ローレンツ迷路〉〈ブール爆弾〉〈シャノン落とし穴〉〈カントール大変動〉……

　強いて一般化するなら、これらの数学的怪物たちはおなじひとつの原理に基づいて動作していた。といっても、彼らの攻撃力は、メモリ消去やコード破損のような素朴な手段に頼るものではなかった。その侵入方法はもっとひそやかで、彼らはその宿主マシンを説得し、宇宙の終焉まで演算が終わらないような、あるいは――〈マンデルブロー迷宮〉がいちばん邪悪な例だが――文字どおり無限のステップを含むプログラムを起動させるのである。

　ありふれた例をあげれば、円周率π(パイ)、あるいはその他の無理数の計算だろう。しかし、どんなにばかな電気光学的コンピュータでも、そこまで単純な罠には引っかからない。愚かな機械がゼロの商を求めようと、歯車をすり減らし、朽ち果てていった時代はとうに過ぎたのだ……

悪魔的なプログラマーたちが挑んだのは、攻撃目標に、これから与えるのが明確な答えを持ち、有限の時間で終わるタスクであると説得することだった。人間とマシンの知力の戦いにおいて（といっても、女性は少なかった。エイダ・ラブレイス、グレイス・ホッパー少将、スーザン・キャルヴィン博士(訳註)など優れた先達がいたにしては奇妙なことである）、敗者となるのは決まってマシンだった。

押収された有害プログラムを〈消去／重ね書き〉コマンドで消し去ることは――ものによってはむずかしく、危険でさえあるが――不可能ではなかったかもしれない。だが、これらは長い時間とあまたの創意のたまものであり、心得違いではあるが廃棄するにはあまりにも惜しいものだった。それ以上に、研究用に、どこか安全なところに保存するのもひとつの知恵と思われた。もし将来、邪悪な天才がおなじものをまた発明し、世界中にばらまくかもしれないからだ。

解決法は明らかだった。これらディジタルな魔物たちは、その化学・生物学方面の仲間とともに、願わくば永遠に、ピコ保管庫に密閉してしまうに越したことはない。

訳註

●エイダ・ラブレイス――英国の数学者、女伯爵。数学者チャールズ・バベッジのもとで、現代コンピュータの先駆けとなる研究を助けた。詩人バイロン卿の娘。一八一五〜五二。
●グレイス・ホッパー少将――アメリカ海軍軍人、数学者、教育者。事務処理用のプログラム言語COBOLの共同開発者。一九〇六〜九二。
●スーザン・キャルヴィン博士――ロボ心理学者、ロボ工学者。二〇〇八年、コロンビア大学で博士号を取得した後、USロボット社に勤め、陽電子頭脳の研究開発に大きく貢献した。一九八二〜二〇六四。

37　ダモクレス作戦

できれば使わずにすませたいと誰もが願う兵器がしだいに形をとりだしたが、プールはその組み立てにたずさわるチームとはあまり接触を持たなかった。作戦――〝ダモクレス〟という不気味だが似合いの名前で呼ばれた――は、高度に専門化しているため、彼に直接寄与できることはなく、特別編成部隊と顔を合わせた印象も、異星の生物かと思えるようなメンバーがいるとわかっただけで充分だった。じっさい、ひとりの中堅メンバーは、明らかに精神病院の入院患者で――プールはそのような施設がまだ存在すると知って驚いたものだ――オコナー議長が漏らしたところによると、ほかに少なくとも二人、入院したほうがよさそうな人間がいるという。

「エニグマ計画のことはお聞きになったことある？」彼女がプールに声をかけたのは、このほか徒労感がつのる会合のあとだった。

プールが首をふると、彼女はつづけた。「驚いた――あなたが生まれるつい何十年かまえのできごとですよ。ダモクレス用の資料を漁っていて見つけたの。たいへんよく似た問題――あなたの時代のある戦争のとき、天才的な数学者たちがまったく秘密のうちに集められて、敵の暗号の解読にたずさわったのです……その副産物として、けっきょく彼らは世界ではじめて本物のコンピュータを造ることになったの。その仕事をなしとげるためにね。

これにはいい話があって――事実であってほしいけど――うちのささやかなチームを連想してしまったわ。ある日、首相が視察に来て、終わるとエニグマの部長にいったというの。〝川原の石を残らずめくるようにして必要な人員を集めろといったが、きみが本気で聞くとは思わなかったよ〟」

どうやらダモクレス計画のために、すべての正しい石が選びだされたらしい。しかしながら、最終期限が何日後か、何週間後か、何年後か定かではないので、緊迫感を生みだすのがむずかしかった。秘密主義に徹しなければならないことも、また問題をむずかしくした。太陽系中に警報を発することはできないため、計画のことを知っているのはわずか五十人足らずの人間だった。しかし重要なのは彼らであり――あらゆる必要な武力をまとめ、この五百年間ではじめてピコ保管庫を開放できる権限も、またこの五十人がにぎっているのだ。

モノリスがいや増す頻度でメッセージを受けとっているとハルマンから報告がはいると、何かが起こりつつあることはもはや疑いなく思われた。ブレインキャップの不眠防止プログラムを使ってさえ、近ごろ眠れないのはプールだけではなかった。ようやくのことで眠りに落ちるときでも、目覚めがくるのだろうかと心配になることがたびたびだった。しかし遂に、すべての構成部分が組み合わされ、兵器が完成した——目に見えない、ふれることもできない——この地上に生きたほとんどの戦士たちが想像もしなかったような兵器が。まったく標準的なテラバイトのタブレット——何百万というブレインキャップに毎日使われるタブレット——これほど無害で平凡に見えるものもない。しかし頑丈な結晶質のブロックに収容され、金属バンドが縦横に巻きつけられているとなると、これは只事ではなくなる。

プールはいやいやながら、これを受けとった。ヒロシマ原爆の核物質を、出撃先である太平洋の空軍基地にとどける畏れ多い仕事を仰せつかった急使は、こんな心境を味わったのか。しかし、もし人類の感じている恐怖が裏付けられるなら、責任ははるかに大きなものとなるのだ。

それに彼には、ミッションのこの第一段階が成功するものかどうかさえ自信が持てないのだった。どのような回線も絶対に安全という保証はないので、ハルマンにはダモクレス計画のことは知らせていない。その役目はプールがガニメデに出向いておこなうことになる。

そして、あとはただ相手の意向に期待をかけるだけだった。ハルマンがトロイの木馬の役を引き受けてくれるものかどうか——たとえその過程で消滅することになろうとも。

38　先制攻撃

何十年かぶりに、ホテル・グラニメデに落ち着くというのも不思議な気分だった。何よりも不思議なのは、その間のいろいろなできごとにもかかわらず、部屋がまったく変わりなく見えたことである。ボーマン・スイートに踏みこむと、そこにはあいかわらず見慣れた人物の映像があり、そして予期したとおりボーマン／ハルマンが、古代のホログラムよりやや透きとおった姿で彼を待っていた。

挨拶も交わさないうちに横やりがはいったが、本来嬉しいはずが、いまはまったく迷惑だった。部屋の映話があおるような尻上がりの三重奏曲を奏で——これも前回の滞在のときと変わらない——昔懐かしい友の顔がスクリーンに現われた。

「フランク！」とセオドア・カンが叫んだ。「来ると知らせてくれればよかったのに！いつ会える？　なぜ映像が出ない——誰かいるのか？　それに、あんたといっしょに着いたあのお役人ふうの連中は、いったい——」

「頼むよ、テッド！　うん、すまない——しかし、ちゃんと立派な理由がある——あとで説明する。客がいるんだ。時間ができたら、すぐ連絡する。じゃあ、また！」

遅まきに〈起こさないでください〉の表示を出しながら、プールは弁解した。「失礼――いまのは誰かわかったね、もちろん」

「ああ――カン博士だ。よくわたしと連絡を取ろうとしていたよ」

「しかし返事をしなかった。理由を聞いていいかな？」もっと重要な問題に気を向けなければいけないのだが、たずねなければ気がすまなかった。

「開けておくチャンネルはこれひとつだけにしたかったんだ。それに、留守のことも多くてね。ときには何年間もだ」

これはびっくり――だが驚いてはいけないことかもしれなかった。ハルマンがいろいろな時代、いろいろな場所に出没しているという報告があることは、プールもよく知っていた。それにしても――〝何年間も留守にしていた〟と？　あちこちの星系を訪れていたのかもしれない――蠍座新星のことを知っていたのもそれでわかる。わずか四十光年離れているだけなのだ。しかし、はるか〈節点〉までは行き着いていないだろう。往復して九百年もかかる旅なのだ。

「これはツイてる！　ちょうど力を借りたいところだったんだ」

ハルマンが返事のまえにためらうのは珍しいことだった。やむを得ない三秒間の時差以上に長い沈黙があり、やがてハルマンがゆっくりといった。「ツイてるだけだと思うか？」

「これは話したくないんだが、二度ばかり――わたしは見た――とてつもない力だ……存在、というか……はるかに高度な――モノリスより、それどころかその製造者たちより……。ひょっとしたら、わたしもきみも、想像していたよりはるかに自由は少ないのかもしれない」

ぞっとする思いがうちに広がった。プールは無理やりそれを心から払いのけ、当面の問題に意識を集中した。

「やるべきことをやるだけの自由意志があることを願うね。これはもしかしたら愚問かもしれない。モノリスはわれわれが会っていることを知っているのか？　疑いを持つ――そういうことがあるのか？」

「そういう感情機能はない。故障を防ぐ機構はたくさん備わっていて、わたしに理解できるものもある。だが、それだけだ」

「われわれを盗み聞きしている可能性は？」

「それはないと思う」

そういう単純素朴なスーパー天才だとどこかで納得できればいいのだが……。プールはそう思いながらブリーフケースのロックを開けると、密閉した箱を取りだした。なかには例のタブレットがはいっている。この低重力では重さはないも同然で、このちっぽけなものに人類の運命がかかっているとはとても信じられなかった。

「安全な回線がありそうもなかったから、これまで詳しい話はできなかった。このタブレットにはいったプログラムを使えば、モノリスが人類の存在を危うくするような動きに出るのを防げるんじゃないか。そう期待しているんだ。このなかには、いままでに作られたウイルスのなかでも、いちばん破壊的なやつが二十種仕込まれている。そのうちのほとんどはワクチンも知られていない。ものによっては、ワクチンなど存在しえないといわれているものもある。それぞれに五種類のコピーを入れた。いざというとき――もしその必要があったらだが――これをきみが解き放ってほしいのだ。ディブ――ハル――誰ひとり、こんなに重い責任を負った者はいない。しかし、ほかに取る道はないんだ」

ふたたび返事は、エウロパとの往復にかかる三秒よりも遅れたように思われた。

「もし実行すれば、モノリスの機能はすべて止まってしまうだろう。そうなったとき、われわれの置かれる状況がはっきりしない」

「その点はもちろん考えた。だが、そろそろきみの自由になる部分も出てきているんじゃないか――われわれには想像もつかないが。いっしょにペタバイトのメモリ・タブレットを送る。10の15乗バイトなら、数十回生きた分の記憶と経験を溜めておくのに充分だろう。これでひとつ脱出口がひらける。ほかにもきみのほうに心当たりがあるはずだ」

「ないわけではない。そのうちのどれを使うかは、時期が来たら決める」

プールは体の力を抜いた——とはいっても、この異常な状況下でできる範囲内でだったが。ハルマンは協力してくれそうだ。まだ自分の出自とのつながりを充分に保っているのだ。

「では、きみのところにこのタブレットをとどけなければならない——物体としてね。この内容は電波や光のチャンネルで送るにはあまりにも危険だ。きみに物体を遠隔コントロールする能力があることはわかっている。むかし軌道上にある爆弾を爆発させたことがあったろう？　エウロパまで自分で運べるか？　代案としては、無人艇に積んできみが指定する場所まで輸送する手もある」

「それがいい。チエンヴィルで受けとる。これが座標だ……」

椅子に沈みこんでいるうちに、ボーマン・スイートのモニターが、地球から同行してきた代表団団長の入室を許可した。ジョーンズ大佐がほんとうに大佐なのか——また、ジョーンズ自体が本名なのかどうか——は小さな謎だったが、プールにはあまり関心はなかった。大佐の組織能力がずば抜けたもので、ダモクレス作戦を静かに能率よく進めているなら、それで充分だった。

「さて、フランク——飛んでいったよ。あと一時間と十分で到着する。そこでハルマンが引き取るんだろうが、タブレットをどんなふうに取り扱うのやら――というか、そのいい方が正しいのか？――そのあたりがわからない」

「それはわたしも不思議だったんだが、エウロパ委員会の誰かが教えてくれた。有名な定理があって――わたしには有名じゃなかったがね！――コンピュータはほかのどんなコンピュータも模倣（エミュレート）できるんだそうだ。だからハルマンは何もかも承知で行動していると思うよ。これはまちがいない」

「そう願いたいね」と大佐。「もしそうでなかったら――そうだな、これに代わる作戦がほかにあるかどうか」

重苦しい間があり、プールは緊張を和らげようと最善を尽くした。

「ところで、なぜわれわれがやってきたか、地元のうわさを聞いているかい？」

「何の話だっけ？」

「われわれがこの殺風景な辺境の町の腐敗と犯罪を調査に来た特別委員会だという話さ。市長と保安官は青くなっているそうだ」

「なんとうらやましい」と〝ジョーンズ大佐〟はいった。「そういう細かい悩みがあるというのも、たまにはいいものだね」

39 神殺し

アヌビス・シティ（人口五万六五二一）に住むすべての人びとの例に漏れず、セオドア・カン博士は、当時の真夜中すこし過ぎ、一般警報の音でたたき起こされた。「また氷震（アイスクエイク）か、まったくもって（フォー・ディアス・セイク）！」それが第一声だった。

窓にかけより、「開け」と叫んだが、声が大きすぎたので部屋が理解せず、ふだんの声で命令をくりかえさなければならなかった。ルシファーの光がさしこんでいいはずで、それがフロアに光の模様を描き、地球からの訪問客を魅了する。というのは、いくらながめていようが、模様は一ミリメートルたりと動かないからだ……

変わることない光線は、もはやそこにはなかった。アヌビス・ドームの広大な透明のバブルの向こう、あっけにとられて見上げるカンのまえには、この千年ガニメデが経験したことのない天空が広がっていた。見わたすかぎりの星々であり、ルシファーが消え失せたのだ。

忘れていた星座をさがすうち、カンはもっと恐ろしい事態に気づいた。ルシファーのあるべき位置に、漆黒の小さな円盤があり、見慣れぬ星々を隠しているのだ。

考えられる解釈はひとつしかない。カンは呆然と心にいった。ルシファーがブラックホールに呑みこまれたのだ。とすれば、つぎはこちらの番か。

グラニメデ・ホテルのバルコニーからは、プールもおなじ光景を見つめていたが、心境はもっと複雑だった。一般警報が鳴るまえにマシン秘書にたたき起こされ、ハルマンからのメッセージを聞いていたのだ。

「はじまったよ。モノリスを感染させた。だが、われわれの回路にもウイルスが一種類——ひょっとしたら何種類か——まぎれこんだ。きみがくれたメモリ・タブレットを使えるかどうか見込みが立たない。うまくいったら、チエンヴィルで会おう」

つぎにとどいたのは、予想もしない奇妙に感動的なことばで、その感情的内容は、今後いく世代にもわたって論争の的になるにちがいなかった——

「もしダウンロードできなかったら、忘れないでくれ、われわれのことを」

うしろの部屋からは市長の声が流れ、眠りを奪われたアヌビス市民を安心させようと必死に呼びかけている。市長の開口一番のせりふは、公式発表のなかではいちばん穏やかならぬ——「心配はいりません」——であったものの、あとにつづいたのは、まさしく市民を安心させることばだった。

「何が起こったかは不明です。しかしルシファーはまだ正常に輝いている！　くりかえします——ルシファーはまだ輝いています！　いまアルシオーネ号からニュースがはいっています。三十分まえにカリストに向けて飛びたった軌道間シャトルですが、そこから見た映像が——」

プールがバルコニーをあとに部屋にとびこむと、スクリーンにはルシファーが頼もしく輝いていた。

「どういうことかというと」市長はあえぎながらつづけた。「これは何かが原因で一時的に食が起こっているらしい。拡大してながめてみましょう……カリスト天文台、お願いします……」

どうして〝一時的〟だとわかるんだ？　そう思いながら、プールはつぎの映像が出るのを待った。

ルシファーが消え、一面の星の映像に代わった。と同時に、市長の声が遠のき、別の声がかぶさってきた。

「——二メートル望遠鏡ですが、たいていの装置でよく見えます。それはまっ黒な物質でできた円盤です。直径は一万キロメートルよりすこし大きいくらいで、ほとんど厚みらしいものはありません。しかも、それはガニメデがちょうど光から遮断されるように——明らかに計画的に——置かれています。

クローズアップでながめ、細かい特徴があるかどうか調べてみましょう、怪しいものだが……」

カリストの視点から見ると、ルシファーを食しているディスクは楕円形にちぢみ、長径が短径の二倍もあった。ディスクはみるみる大きくなってスクリーンに収まりきらなくなり、構造らしいものが見えないため、あとは映像が拡大されているのかどうか判定もできなくなった。

「思ったとおりで――何も見えません。これの縁へパンしてみましょう……」

またも動きはなかったが、やがて不意に、星いっぱいの天空が現われた。その片側は、広大なディスクのカーブする縁にすっぱりと切り取られている。まるで空気のない平坦そのものの惑星の地平線越しに、星々をながめているようだ。

いや、平坦そのものではない……

「これはおもしろい」と天文学者。それまでは淡々とした口ぶりで、こうしたできごとは日常茶飯事であるかのように聞こえたのに、声はうって変わった調子になった。「縁がでこぼこ――だが、たいへん規則正しい――まるで鋸の刃みたいに……」

丸鋸(まるのこ)だ。プールは声もなくつぶやいた。われわれを断ち割ってしまう気だろうか？　ばかな……

「これがクローズアップの限界で、この先は回折現象のため映像がつぶれてしまいます。あとで画像処理をして、細部をもっと調べてみましょう」

倍率をあまりにも大きくしたので、ディスクの円みはいまではすっかり消え失せていた。スクリーンの端から端に黒い帯が走り、そのぎざぎざの縁では、三角形の出っぱりが整然と並んでいるので、プールは鋸の刃の不気味なたとえを心から振り払うことができなかった。だが、ほかにもまだ引っかかるものがある……

いま彼はガニメデに住む誰もかれもとおなじように、無限に遠い星々が幾何学的に完全な谷間を出たり入ったりするのをながめている。たぶん彼より早くおなじ結論に達した人びとはたくさんいるだろう。

直方体のブロックでディスク形を作ろうとすれば――各辺の比率が1対4対9であれ、何であれ――外縁がなめらかになることはありえない。もちろん、使うブロックをどんどん小さくしていけば、完全円に近いものを作ることはできる。しかし、たんに日食を起こすだけが目的の遮蔽膜を作るのだったら、そんな手間をかける必要があるだろうか？市長のことばは正しく、食はまさに一時的なものだった。だがその終わり方は、ふつうの日食とは正反対だった。

はじめ光はディスクの中心から漏れだした。ふつうは縁にそって〈ベイリーの数珠〉と呼ばれるネックレス状のものが現われるのだが、そうではなかった。目のくらむように明るい針穴から、ぎざぎざの棘が周辺へ伸びはじめた――そして、いま最大倍率のもとで、ディスクの構造が見えはじめていた。それは何百万という同一の方形から成っていた。おそらく大きさは、エウロパの〈グレート・ウォール〉とおなじだろう。それがいま分解しつつあるのだ。ちょうど巨大なジグソー・パズルがばらばらに散っていくように。ディスクが砕け、広がりゆく穴からルシファーの光があふれだすにつれ、不変の——つかのま途切れたものの——光がゆっくりとガニメデに帰ってきた。いまではディスクの構成部分が蒸発をはじめており、まるでくっつきあってたがいに支えあわないかぎり、実体を保っていられないかのようだ。

アヌビス・シティから不安な思いで見まもる人びとには数時間のように思えたものの、事件がつづいたのは十五分足らずのあいだだった。すべてが一段落したあと、人びとははじめて、エウロパに目を向けた。

〈グレート・ウォール〉は消えていた。小一時間たって、地球と火星と月からニュースがもたらされた。太陽そのものも数秒のあいだ明滅したように見え、そしてまた正常に復したという。

この二つの日食は高度に選択的なもので、人類が標的にされたことは歴然としていた。太陽系の他の空域では、変わったことは何も起こらなかった。

大混乱にまぎれて、人びとがもうひとつのできごとに気づくにはしばらく時間がかかった。ＴＭＡ・０とＴＭＡ・１が消え、ティコとアフリカには四百万年まえにえぐられた穴が残っているだけだった。

エウロパ人が人類と出会うのはこれがはじめてだったが、目のまえを稲妻並みのスピードで動く巨大生物にも、彼らは不安も驚きも見せなかった。といっても、相手が葉のない小さな茂みとたいして変わらず、それとわかる感覚器官も意思疎通の手段も持たない生物とあっては、その心境を推し測るのはもちろん容易なことではない。しかし、もし彼らがアルシオーネ号の到着とそのクルーの出現に震えあがっているのなら、イグルーのなかから出てきはしないだろう。

防護服に身をかため、おみやげ用のぴかぴかの銅線を手に、フランク・プールがかさばる姿でやってきた。チエンヴィルの立てこんだ郊外に足を踏み入れながら、エウロパ人は近ごろの事態の推移をどう見ているだろうかと、ふと気になった。このエウロパでは、ルシファーの食は起こらなかったが、〈グレート・ウォール〉の消失は大ショックであったにちがいない。悠久の昔から立ちつづけ、彼らの盾であり、それ以上の役割を果たしていたものが、まるではじめから存在しなかったように消えてしまったのだから……

ペタバイト・タブレットが彼を待っていた。まわりには一群れのエウロパ人たちの姿があり、プールはこの生物がはじめて見せる好奇心らしいものを目のあたりにした。もしかしたらハルマンにいわれて集まったのだろうか。そんな思いが心をよぎった——見張っていてほしいと頼まれたのか、この宇宙からの贈り物を——彼が拾いにくるまで……

唯一の安全な場所へ持ち去ってしまうまで……なぜなら、彼の友人がこのなかに眠っているだけではない。ここにはまた、恐怖が封じこまれているからだ――将来いつか、はらい清める方法が見つかるかもしれない多くの恐怖が。

40　真夜中――ピコ

これ以上平和な情景を想像しろというのはむずかしい。プールはそう思った――この何十日かの苦労を考えればなおさらのことだ。まん丸の地球が空に低くかかり、斜めにさすその光が、乾ききった〈雨の海〉のえも言われぬ陰影を浮きあがらせている。これが太陽の灼熱光なら、微妙な線はきれいにとんでしまうところだ。

月面車の護送隊が、ピコのふもとの目立たないトンネルのまえに、半径百メートルの半円を描いて陣取った。ここが保管庫への入口である。プールのいる場所から見るかぎり、その山は初期の天文学者が、とがった影にだまされて名付けたほどの高峰とは思えなかった（ピコはスペイン語で〝くちばし〟〝とがった先〟の意）。それはとがった山というより、丸っこい丘であり、この地域で流行のレジャーが、頂上へのサイクリングであるというのも納得がいった。つい最近まで、ここでサイクリングを楽しむ人びとは、車輪の下の地中に秘密が隠されていようとは夢にも思っていなかったのだ。健全なスポーツ精神がこんなことで悪影響を受けなければいいがと、プールは願った。

ガニメデから月まで、みずから――片時も目を離すことなく――運んできたタブレットを、悲しいような誇らしいような思いで引きわたしたのは、つい一時間まえのことである。

「さようなら、親友たちよ」プールはつぶやいた。「よくやってくれた。ひょっとしたら、後世の人びとがきみらを目覚めさせるかもしれない。だが総合的に見れば――そうならないことを願うね」

彼には、ハルマンの知識がふたたび必要となるのっぴきならない事態が、手に取るように見えるのだった。いまごろはきっと、どこか未知の指令センターに向けてメッセージが飛んでいることだろう――〈エウロパ上の召使いが消失した〉と。そこそこの運に恵まれるなら、何らかの反応が返ってくるまでに、九百五十年プラスマイナス数年はかかると見てよい。

かつては彼もアインシュタインをよく呪ったものである。しかし、いまは祝福を送りたかった。これは確かと見ていいようだが、モノリスの背後にひそむ力も、さすがに光より速いスピードで影響を広げることはできないらしい。とすれば人類は、このつぎの遭遇までに――もし起こるとすればだが――ほぼ千年の猶予期間を与えられたことになる。まあ、そのころまでには覚悟もついているだろう。

トンネルのなかから何かが現われた――軌条に乗った半人間型のロボットで、タブレットを保管庫にしまってきたのだ。マシンが一種の保護服をすっぽりかぶり、恐ろしい病原体から身を守っているという図は――それも空気のない月面で！――なかなか珍妙なものだった。しかし危険がどんなに小さいとはいえ、不用意なことはできない。何にしてもこのロボットは、周到に隔離されたあまたの悪夢のあいだを通り抜けてきたのである。ビデオカメラを通して見るかぎり、すべてが正常のようだが、どこかのびんが漏れたり、どこかの容器の封が破れたりしている可能性がゼロになったわけではない。月の環境はたいへん安定しているが、この数世紀には多くの月震もあり、隕石の落下もあったのだ。

ロボットはトンネルから五十メートル出たところで停止した。トンネルを密閉する重い扉がゆっくりと元にもどり、ねじ筋にそって回りはじめた。それは巨大なボルトが山にねじこまれるように見えた。

「防護メガネのない者は、みんな目を閉じるか、ロボットから目をそらすように！」月面車の無線からさしせまった声がひびいた。プールが座席のなかで身をひねった瞬間、月面車のルーフから閃光がほとばしった。ふたたびピコに目をもどしたときには、ロボットは燃える金くずの山となっていた。真空のただなかで生涯の大半を過ごしてきた者でも、煙が渦を巻きながらたちのぼっていない風景は、何となく違和感のあるものだった。

「消毒終わり」とミッション・コントローラーの声がした。「ありがとう、皆さん。プラトン・シティへ帰りましょう」

なんという皮肉――みずからの狂気を器用にあやつることによって、人類が救われるとは！　ここからどういう教訓を引きだせというのか？

ふりかえると、青い美しい地球が見えた。切れ切れの雲の毛布のなかに丸まり、宇宙の寒さから身を守っている。あの星で、いまから二、三週間後、はじめての孫を腕に抱けるだろう。

どのような神的あるいは霊的存在が星のかなたにひそんでいようと、平凡な人間にとって重要なことは二つしかない——〈愛〉と〈死〉だけだ。プールはあらためてそう自分にいいきかせた。

彼の肉体は、まだ百歳には達していない。どちらを得るにも、まだたっぷりと時間は残されている。

エピローグ

「彼らのちっぽけな宇宙はごく若く、その神はまだ幼い。しかし判定を下すには時期が早すぎる。最後の日々、われわれがもどったとき、何を救ったらいいものか考えるとしよう」

典拠と謝辞

典　拠

●1章　コメット・カウボーイ
チャンドラー船長の狩り場が発見されたのはごく最近の一九九二年だが、くわしくはジェーン・X・ルーとデイビッド・C・ジューイット「太陽系の概念を変えるカイパーベルト」（サイエンティフィック・アメリカン誌一九九六年五月号）をごらんいただきたい（邦訳《日経サイエンス》一九九六年七月号）。

●4章　ながめのいい部屋
対地静止軌道（ジオステーショナリー・オービット）（略称GEO）にあり、赤道沿いに立つタワー群によって地球と結ばれる〝世界をめぐる環〟は、まったく荒唐無稽に聞こえるかもしれないが、現実には確固とした科学的根拠のあるコンセプトである。これは〝宇宙エレベーター〟の明らかな延長線上にあるものだ。宇宙エレベーターの発案者は、サンクト・ペテルブルクの技師ユーリ・アルツターノフで、一九八二年、その都市がまた別の名前を持っていた時期、わたしは彼と会う光栄に恵まれた。

ユーリの指摘によると、地球表面と赤道上空の一点に静止している人工衛星とのあいだにケーブルをわたすことは、理論的に可能であるという（GEOに乗った人工衛星は静止するので、今日ここは、大半の通信衛星の巣のようになっている）。ここを基点に宇宙エレベーター――あるいは、ユーリのもっと絵画的な呼び方に従うなら〝宇宙鋼索鉄道（コズミック・フュニキュラー）〟――を設立することは可能で、ペイロードは電気エネルギーだけでGEOまで運び上げることができるという。ロケット噴射が必要なのは、旅のそれ以降の部分だけだ。

ロケット噴射による危険と騒音と環境汚染を避けるほかに、宇宙エレベーターは、あらゆる宇宙飛行ミッションの経費を驚くばかりに節約する。電気は安価であり、人間ひとりを軌道に押し上げるのにわずか百ドル程度しか必要としない。往復にかかる費用は約十ドル。なぜなら、エネルギーの大半は下りの旅でとりもどせるからだ！（もちろん機内食と機内映画で、チケット料金は高くなるだろう。それでもGEOまで行ってもどって千ドルなんて信じられますか？）

理論は非の打ちどころない。しかし充分な引っ張り強さがあり、高度三万六千キロから赤道へと吊すのに耐える材料が存在するのだろうか——しかも有効ペイロードを持ちあげるだけの余力もある材料が？　ユーリがその論文を書いたとき、彼の少々きびしい仕様にかなう物質はひとつしかなかった。結晶炭素、もっとよく知られた名前でいえばダイヤモンドだ。残念ながら、必要なメガトン量は公開市場ではかんたんには手にはいらない。ただし『2061年宇宙の旅』で、それが木星の核に存在するかもしれないと考える理由をいくつか挙げておいた。『楽園の泉』では、わたしはもっと近づきやすい入手場所を示唆した——ダイヤモンドをゼロ重力環境で生成できるかもしれない軌道上プラントである。

宇宙エレベーターへの最初の〝小さな一歩〟は、一九九二年八月、スペースシャトル・アトランティスで試みられた。その実験のひとつは、長さ二十一キロメートルの引き綱（テザー）にぶらさげたペイロードの投下——および回収——だったのである。残念ながら、テザーの繰りだしメカニズムが、わずか二、三百メートル出したところで詰まってしまった。

わたしがたいへん嬉しく思ったのは、アトランティスのクルーが軌道上の記者会見のおりに『楽園の泉』を取りだしたことだ。地球へ帰ったのち、ミッション・スペシャリストのジェフリー・ホフマンが彼らのサイン入りの本を贈ってくれた。

二回めのケーブル実験は一九九六年二月におこなわれ、これはもうすこし成功をおさめた。ペイロードは全長まで伸ばされたが、回収のさい絶縁不良による放電によって、ケーブルが断ち切られてしまった。（これは幸運な事故だったかもしれない。というのは、ベン・フランクリンと同時代の事故犠牲者たちのことを思いださずにはいられないからである。彼らは雷雨の最中、凧を飛ばすというあの有名な――危険な――実験を再現しようとして命を落としたのだ）

危険がいろいろともなうのを別にすれば、ケーブルに吊したペイロードをシャトルから繰りだす作業は、フライ・フィッシングに似ている。見かけほどたやすくはないのだ。しかしやがては、最終的〝大きな一歩〟が踏みだされ――赤道への道が通じることになるだろう。

この間、炭素の第三の形、バックミンスターフラーレン（C60）が発見されたことにより、宇宙エレベーターの構想ははるかに具体性を帯びてきた。一九九〇年、ライス大学ヒューストン校の化学者グループがチューブ構造をもったC60をつくりだした。これはダイヤモンドよりはるかに大きな引っ張り強さをもつものである。グループ代表のスモーリー博士は、いまだかつて存在した最強の材料であるとまで公言し、宇宙エレベーターの建造を可能にするだろうとつけ加えた（最新ニュース――喜ばしいことに、スモーリー博士は一九九六年のノーベル化学賞を共同受賞した）。

さてここで、まったく驚く偶然のできごと――あまりにも薄気味が悪いため、〝担当者〟はいったい何者だろうと思いたくなるほどだ。

バックミンスター・フラーは一九八三年に亡くなったので、死後なおも彼の名を高めた〝バッキーボール〟（C60、略称フラーレンは、分子構造が球状で、フラーの発明したジオデシック・ドームを連想させることからそう名付けられた）や〝バッキーチューブ〟の発見に立ち会うことはできなかった。彼の数多くの世界旅行のうち最後のひとつで、わたしは彼と夫人のアンをスリランカの遊覧飛行に案内する光栄に浴し、『楽園の泉』でモデルに使ったいくつかの土地を見せてまわった。その後ほどなく、その小説の一部を朗読し、12インチ（ご記憶だろうか？）LPレコードに吹きこんだが（キャドモンTC1606）、バッキーは親切にもそのライナーノートを書いてくれた。その末尾にはびっくりするような秘話が明かされており、これがわたしの〝スター・シティ〟の構想の引き金になったということは大いにありうる。

「一九五一年、わたしは地球の赤道を取り巻いて、はるかな高みに支えなしに浮かぶテンセグリティ環状橋梁を設計した。この〝光輪〟の橋の内側で地球は自転し、環状の橋はそれ自体の速さで回転するわけである。地球の交通機関が垂直にこの橋にのぼり、橋の回転につれて、地球の望みの場所に下りていく未来の光景が、わたしには見えた」

わたしは疑っていない。もし人類がそのような投資をする覚悟があるなら（一部にある経済成長予測に従うなら、ちょろいものだ)、〝スター・シティ〟は建設可能である。新しい生活様式を提供し、火星や月など低重力の世界からの訪問客に、母なる惑星を近づきやすくするほかに、これは地球の表面からロケット・エンジンを一掃し、それが本来あるべき深宇宙へと追いやることになるだろう(といっても、ときたまは宇宙開拓初期のときめきを思いだすよすがに、ケープ・ケネディからの打ち上げを再現する記念祭はおこなわれてもいい)。

これはまずたしかなことだが、シティの大半の領域はからっぽの枠組みから成り、人間が住んだり、科学的・技術的な方面に役立てられるのは、そのほんの一部となるだろう。つまるところ、各タワーは高さ一千万階の摩天楼とおなじものになり、静止軌道をめぐる環の全周は月までの距離の半分以上のものとなるだろう。これだけの容積があり、それをすべて密閉してしまうなら、地球全人口の何倍もの数を収容することが可能になる(これは兵站学(へいたん)の方面でいくつかのたいへんおもしろい問題を提起するが、これは読者への〝練習問題〟として、ここでは触れないでおこう)。

〝ビーンストーク〟コンセプト(ならびに、反重力やスペースワープといったもっと飛躍の大きいアイデア)の歴史を語った見事な本としては、ロバート・L・フォワードの『魔術と紙一重』*Indistinguishable from Magic* を参照されたい。

●5章　教育

一九九六年七月十九日付けの新聞を読んで仰天したのだが、英国テレコムの人工生命チームの代表、クリス・ウィンター博士によると、わたしがこの章で描いた情報・記憶装置は、ここ三十年（！）のうちに実現しそうだという（わたしの一九五六年の長篇『都市と星』では、これを十億年以上未来においた……明白な想像力不全というべきだろう）。ウィンター博士の話では、「これで個人を肉体的にも精神的にも情緒的にも再構成できる」ようになり、またそのために必要とされる記憶は、十テラバイト（10の13乗バイト）としている。わたしが推定しているペタバイト（10の15乗バイト）より二桁少ない。

この装置にウィンター博士の名前を冠することを思いつけばよかったと思う。そうすれば、宗教界で必ずや激しい論争がわきおこったと思う。なにしろ〝魂捕り器〟なのだ……恒星間旅行におけるこの応用については、あとにある9章のノートを参照されたい。

3章にある手のひらから手のひらへの情報転送は、わたしの発案だと思っていたので、ニコラス・『ビーイング・デジタル』（邦訳・株式会社アスキー）・ネグロポンテとMITのメディア・ラボが、何年もまえからこのアイデアを検討していたと知ったときには、悔しくてならなかった……

●7章　情報臨取

もし零点場（ゼロ・ポイント・フィールド）（ときには〝量子ゆらぎ〟または〝真空エネルギー〟とも呼ばれる）のとてつもないエネルギーを引きだすことができるなら、われわれの文明に与える衝撃は計り知れない。現在のあらゆる動力源——石油、石炭、核、水、太陽——は時代遅れとなり、環境汚染の心配の数々も遠のくだろう。それらはすべてひとつの巨大な悩みに呑みこまれる——熱汚染だ。すべてのエネルギーは最終的には熱に還元され、もし人間ひとりひとりが数百万キロワットを消費するようになれば、この惑星はじきに金星とおなじ状態になる——日かげで数百度だ。

しかしながら、この未来図にも明るい面はある。必ず来るであろうつぎの氷河期を防ぐにはこの方法しかないかもしれない（「文明とは氷河期の休み時間である」——ウィル・デュラント『文明の物語』*The Story of Civilization*）。

これを書いているさなかにも、たくさんの有能なエンジニアが、この新しいエネルギー源を取り出しつつあると公言している。そのエネルギーの大きさは、物理学者リチャード・ファインマンの有名なことばで説明できるだろう。かいつまんでいえば、コーヒーマグ一杯の分量（どこであれ、その程度の分量でだ！）のエネルギーで、地球のすべての海が沸騰するという。

これはたしかに考えさせられる情報ではある。これに比べれば、核エネルギーなどは湿ったマッチみたいなものだ。

思うのだが、超新星のうちのどれくらいの数が、じっさいに工場事故なのだろう？

●9章　天空の楽園

スター・シティを動きまわるとき直面する主な問題は、かかわりあう距離の大きさから生じるものだ。となりのタワーにいる友人を訪ねたいとき（バーチャル・リアリティがどれほど進歩しようと、コミュニケーションが直接のコンタクトにすっかり取って代わることはないだろう）、それは月への旅と同等のものとなる。最速のエレベーターを使っても、旅は時間で数えるより日にちで数えたほうが早い。さもなければ、加速は低重力暮らしになれた人びとにとって耐えがたいものとなる。

〝無慣性駆動〟――すなわち、肉体のすべての原子に加速がはたらくので、体に何の負担もかからない推進システム――のコンセプトを創出したのは、おそらく〝スペース・オペラ〟の巨匠、E・E・スミスで、一九三〇年代のことである。これは耳に聞こえるほど荒唐無稽ではない――なぜなら重力場はまさにそのような働きをするからである。

あなたがもし地球のそばで自由落下をはじめたとすると（空気抵抗は無視するとして）、あなたは一秒ごとに毎秒十メートル弱の割合でスピードを増していくことになる。しかし、あなたは重さを感じない――加速を感じることはないだろう。たとえ一分半ごとに秒速一キロメートルで速度を増しているとしてもだ！

そしてこれは、あなたの落下しているのが木星の重力下であっても（せいぜい地球の二・五倍ちょっと）、白色矮星や中性子星のようなとてつもなく強力な場（千万倍も千億倍も大きい）であっても変わらない。助走なしスタートから数分のうちに光速に近づいたとしても、あなたには何の変化もない。しかしながら、あなたがうっかり引力のある天体の半径の数倍のところに近づこうものなら、重力場はもはやあなたの全身について一定ではなくなり、潮汐力がみるまにあなたをずたずたにする。もっと詳しいことをお知りになりたければ、ほめられたものではないが題名としては正確なわたしの短篇「中性子の潮」（邦訳題名「中性子星」――『太陽からの風』ハヤカワ文庫SF所収）をお読みいただきたい。

〝無慣性駆動〟は、制御のきく重力場とまったくおなじ働きをするものだが、SFのページ以外ではこれまでまじめに論じられたことはなかった。だがごく最近、すこし事情がちがってきた。一九九四年、アメリカの物理学者たちが、ロシアの偉大な物理学者アンドレイ・サハロフのアイデアをもとに、まさにこれをまじめに論じた。

B・ハイシュ、A・ルーダ、H・E・パトホフの「零点場ローレンツ力としての慣性」“Inertia as a Zero-Point Field Lorentz Force”（フィジカル・レビュー・A誌一九九四年二月号）は、将来いつかランドマーク的な論文と見なされるようになるだろう。わたしも、この小説を書くうえでそのように見なした。これはあまりにも基本的すぎて、「宇宙というのはそういうものだろう」と肩をすくめるだけで片づけられてしまう問題に取り組んでいる。

HR&P三氏が問いかけている問題はこうだ。「物体が動きだすには力が要り、元の状態を回復するにも力が要るが、そのとき物体の質量（なり慣性）を生みだすのは何だろうか？」

暫定的な答えは、いわゆる〝空っぽ〟の空間はじっさいには沸きたつエネルギーの大釜であるという、驚くべき――そして物理学者たちの象牙の塔のそとでは――ほとんど知られていない事実に基づいている。これが零点場である（前記ノート参照）。HR&P三氏は、慣性と重力はどちらも、この場との相互作用によって起こる電磁現象だと示唆しているのだ。

重力と磁力を関係づけようとする試みは、はるかファラデーにまでさかのぼって無数におこなわれているが、成功したと公言する実験者は数多いものの、実証された例はひとつとしてない。しかしながら、もしHR&P三氏の理論が正しいと証明されるなら、反重力による〝宇宙駆動〟、さらにはもっと夢のような、慣性をコントロールする展望もひらける。これはもっとおもしろい状況を生む。もしあなたが誰かをほんの軽く押すとすると、その人間はたちまち時速数千キロで飛んでいき、百万分の一秒で部屋の壁にぶつかって帰ってくるのだ。ただし良いニュースは、交通事故は事実上ありえなくなることである。自動車は——その乗客とも——どんなスピードでもまったく安全に衝突することが可能になる。（今日びのライフスタイルは、めまぐるしくなり過ぎたって？）

〝無重量〟状態は、いまや宇宙ミッションではあたりまえで、来世紀には数百万の観光客が楽しむことになるだろうが、われわれの祖父母たちからすれば魔法のようなものにちがいない。しかし慣性の消去は——あるいは、たんなる削減にしても——これはまったく別物で、もしかしたらまったく不可能かもしれない。(原註) しかし考えるだけでも楽しい。というのは、〝テレポーテイション〟と似たものが可能になるからだ。どこへ行くにも（少なくとも地球上では）あっという間である。正直にいって、〝スター・シティ〟がこれなしにやっていけるとは思えない……

わたしがこの小説で立てた仮説のひとつは、アインシュタインの理論は正しく、どんな信号も——また物体も——光速を超えることはできないというものだ。近年、高度な数学のかかわる論文がたくさん現われ、銀河ヒッチハイカーたちは——SF作家はみんな昔からそうだったが——この面倒な制約にわずらわされる必要はないかもしれないと示唆している。

大きな意味では、わたしは彼らが正しいと思いたい。しかし根本的な反論がひとつあるようだ。もし超光速飛行が可能なら、そのヒッチハイカーたちはみんなどこにいるのだろう？　というか、少なくともリッチなツーリストたちの姿がないのはなぜなのか？

ひとつ考えられるのは、常識あるETなら、われわれが石炭を燃料とする航空機を造らなかったのとまさにおなじ理由で、恒星間宇宙船を造ろうとはすまいということだ。ほかにもっといい方法があるからである。

ひとりの人間を定義するのに、あるいは人が一生に得る情報をすべてためこむのに、驚くほどわずかな〝ビット数〟で足りるという説は、ルイス・K・シェファーの「マシン知能、恒星間飛行の代価、そしてフェルミ・パラドックス」“Machine Intelligence, the Cost of Interstellar Travel and Fermi's Paradox”（クォータリー・ジャーナル・オブ・ロイアル・アストロノミカル・ソサエティ誌、35巻2号、一九九四年六月、一五七〜一七五ページ）に論じられている。この論文（想像力をかきたてることでは、お堅いQJRAS誌が創刊以来掲載したなかでも無類！）では、年齢百歳、記憶もパーフェクトな人間の精神全体は、10の15乗ビット（1ペタビット）で表わすことができるという。今日の光ファイバーでも、これくらいの情報なら何分かで伝送することができる。

『スター・トレック』の転送装置は三〇〇一年になっても実現しないというわたしの予想は、したがっていまから百年後には、あきれるほど近視眼的なものだったとわかるかもしれない。それなら、いま恒星間ツーリストたちの姿が見えないのも、地球側に受信施設がまだ設置されていないからにすぎないということになる。ひょっとしたら、鈍行船でもうこちらに向かっているころだろうか……

原註　一九九六年九月、フィンランドの科学者チームが、回転する超伝導ディスクの上ではわずかながら（一パーセント弱）重力の減少があることを検知したと発表した。もしこれが立証されるなら（これより先ミュンヘンのマックス・プランク研究所でおこなわれた実験でも、似たような結果がほのめかされていたが）、待望のブレークスルーとなるかもしれない。わたしは眉に唾をつけながら、成行きを見まもっている。

●15章　金星面通過

この章で、アポロ15号のクルーに敬意を表することができてわたしは嬉しく思う。月から帰還したのち、彼らは月着陸船ファルコンの着陸地点の美しい地形模型を送ってくれ、いまそれはわたしのオフィスの最上座を飾っている。これには月面車（ルナー・ローバー）がおこなった三回の小遠征のときのルートが載っていて、そのひとつはアースライト・クレーターをかすめている。地図にはつぎのような銘文が記されている。「アーサー・クラークへ、アポロ15号のクルーより。あなたの描いた宇宙へのヴィジョンに限りない感謝を捧げる。デイブ・スコット、アル・ウォーデン、ジム・アーウィン」そのお返しに、わたしは『地球光（アースライト）』の新版（一九五三年に書かれたこの小説は、一九七一年にローバーが走ることになる地域を舞台にしていた）を、こうしたためて彼らに捧げた――「この土地に最初に足を踏み入れた人間デイブ・スコット、ジム・アーウィンに、そして彼らを軌道から見まもったアル・ウォーデンに」

アポロ15号の月着陸を、ウォルター・クロンカイト、ウォリー・シラーとともにCBSスタジオから中継した後、わたしはミッション・コントロールへ飛び、大気圏突入と着水を見物した。わたしのとなりにはアル・ウォーデンの幼いお嬢さんがすわっていたが、カプセルの三つのパラシュートのうちのひとつが開かないのに最初に気づいたのは彼女だった。いっとき緊張がみなぎったが、さいわい残りの二つが申し分ない仕事をしてくれた。

●16章　船長のテーブル

探査体衝突の模様については、『2001年宇宙の旅』18章をごらんいただきたい。まさにこのとおりの実験が、来たるべきクレメンタイン2号ミッションでおこなわれようとしている。

少々恥ずかしいのは、『2001年』のなかでこの小惑星7794番を、月面天文台で一九九七年（！）に発見されたとしていることだ。よろしい、これを二〇一七年――わたしの百歳の誕生日のころまでずらすとしよう。

といったことを書いてわずか数時間後、つぎのような嬉しい知らせがはいってきた。小惑星4923番（1981EO27）――一九八一年三月二日、オーストラリア、サイディング・スプリングのS・J・ビュス発見――が、クラークと命名されたという。これにはプロジェクト・スペースガード発案の功績も含まれているという（『宇宙のランデヴー』『神の鉄槌』参照のこと）。以前わたしのところに、深甚な謝意とともに、まったく不幸な手落ちにより2001番はクラークと命名できないという連絡がとどいたことがある。A・アインシュタインとかいう人物にすでに割り当てられてしまったとのこと。平身低頭、まことに申し訳ないことながら……

だが4923番とおなじ日に発見された小惑星5020番が、アシモフと命名されたという知らせは嬉しかった。残念ながら、わが旧友はもはやこれを知ることはできないのだが……

●17章　ガニメデ

「終わりに」に書き、『2010年宇宙の旅』および『2061年宇宙の旅』の作者メモでもふれたように、木星とその衛星群へ向けての野心的なガリレオ・ミッションが、いまごろはこうした不思議な世界についての詳細な知識を――目のさめるようなクローズアップ写真とともに――送ってくれるものと期待していた。

さて、たび重なる遅れののち、ガリレオは当初の目標――木星――に達し、見事に成果をあげている。だが残念ながら、ひとつ問題が生じた――どういうわけか、主アンテナが開かなかったのだ。これはつまり、低利得アンテナを使い、腹の立つほどのスロー・ペースで映像を送り返さなければならないことを意味する。さいわい搭載コンピュータをプログラミングすることで、多少の埋め合わせはできたが、それでも本来なら分単位ですんだ情報の受信が、何時間もかかる始末なのだ。

ここは忍耐が肝心――だがおかげでわたしは　一九九六年六月二十七日、ガリレオがじかにガニメデの観測をはじめる直前、小説でそれをおこなうという何ともじれったい状況に置かれることになってしまった。

一九九六年七月十一日、この本を書きあげるわずか二日まえ、わたしはようやくジェット推進研究所からの最初の映像をダウンロードした。さいわいわたしが書いたことと矛盾するようなところは――いままでのところは、だ！――なかった。しかし、現在見えるクレーターだらけの氷原の先に、椰子の木と南国の浜辺がいきなり展開している――いや、もっと悪いことに〈ヤンキー・ゴー・ホーム〉のプラカードでも見つかるようなら、わたしはたいへんな苦境に立たされることになる……

いまわたしがいちばん期待しているのは〝ガニメデ・シティ〟（17章）のクローズアップ写真である。このすばらしい構造物は、わたしが描写したとおりのものである。といっても、これを書くにあたっては、わたしの〝発見〟がナショナル・プリバリケイター紙

（プリバリケイターは嘘つきの意。アメリカの大衆新聞ナショナル・エンクワイアラー紙への当てこすり）の第一面を飾るのではないかというおそれから、ためらいがないでもなかった。わたしの目から見るかぎり、これはあの悪名高い火星の〝人面岩〟やその周辺部より、はるかに人工的に見える。また仮に街路の幅が十キロメートルであったとしても――それがどうだというのか？　ガニメデ人はばかでかいのかも……

　この都市は、NASAボイジャー映像の20637・02および20637・29でご覧になれる。もっと簡単には、ジョン・H・ロジャーズの記念碑的労作『巨大惑星・木星』*The Giant Planet Jupiter*（ケンブリッジ大学出版局、一九九五年）の第23・8図がいい。

●19章　人類の狂気

　人類の大多数は、少なくとも部分的に狂気のところがあると、カンは驚くような断定をするが、この裏付けとなる映像の証拠として、わたしのテレビ・シリーズ『アーサー・C・クラークの神秘の宇宙』*Arthur C. Clarke's Mysterious Universe* の第22回「マリアと出会う」をご覧になるとよい。このとき忘れないでいただきたいのは、キリスト教徒は、われらが種のごくごく一部の小派でしかないことである。聖母マリアを崇拝した数よりもはるかに多い人口が、以下のようなおたがいまったく相容れない神々におなじような熱烈な崇拝の念を捧げている。すなわち、ラーマ、カーリー、シバ、トール、ウォータン、ユピテル、オシリス、等々、等々……

偉大な人物が信念にこりかたまり、手に負えない狂人になってしまった例として、とくに印象深い――そして悲しい――のはコナン・ドイルである。お気に入りの霊能者たちのインチキぶりがつぎつぎと暴かれたにもかかわらず、シャーロック・ホームズの生みの親は、彼らに対して揺るぎない信頼をいだきつづけた。また、肉体を〝非物質化〟する独自の脱出術をおこなったといい――そのトリックもたいてい、ワトソン博士なら「笑止なほど単純」といいそうなものだ――大魔術師ハリー・フーディニさえも丸めこもうとした（マーティン・ガードナー『夜は大きい』*The Night Is Large* 所収のエッセイ「コナン・ドイルの不見識」〝The Irrelevance of Conan Doyle〟を参照のこと）。

異端審問では、ポル・ポトやナチスも慈悲深く見えるような敬虔な残虐行為がおこなわれたが、その詳細については、カール・セーガンの痛烈なニューエイジ迷妄批判の書『悪霊にさいなまれる世界――「知の闇を照らす灯」としての科学――』（邦訳・ハヤカワ文庫NF）を参照のこと。わたしはどこのハイスクールでもカレッジでも、これが――またマーティンの本もだが――課題図書になればいいと思う。

少なくともアメリカ合衆国移民局は、宗教が奨励する蛮行のひとつに積極的な行動を起こしている。タイム誌（Milestones 欄、一九九六年六月二十四日号）が報じるところでは、祖国で女性器切除の脅しにさらされている若い女性たちには、避難所が提供されるという。

この章を書きおえたあと、たまたま読んだアンソニー・ストーの『粘土の足――グールーたちの力とカリスマ』*Feet of Clay: The Power and Charisma of Gurus*（ザ・フリー・プレス刊、一九九六年）は、この気の滅入る問題にかんする文字どおりの教科書である。信じられないのは、連邦保安官が遅ればせにあるインチキ聖者を逮捕したとき、この男がロールスロイスを九十三台集めていたということだ！　それだけではない――この男に引っかかった数万の信者のうち八十三パーセントは大学卒で、したがってわたしの好きなインテリの定義にぴたりと当てはまる――すなわち、「自分の知能以上の教育を受けてしまった人間」

●26章　チエンヴィル

『２０１０年宇宙の旅』の一九八二年版序文で、わたしはエウロパに着陸する中国宇宙船に、アメリカと中国のロケット計画の父のひとり、銭学森（チエン・シュエセン）博士にちなんだ名をつけた理由を説明した。

チエンは一九一一年生まれ。奨学金で一九三五年、中国からアメリカに留学した彼は、ハンガリー生まれの天才的な航空力学者シオドア・フォン・カルマンの学生となり、のちに共同研究者となった。その後、カリフォルニア工科大学のゴダード記念教授としてグッゲンハイム航空研究所の創設を助けた——これはパサディナにある有名なジェット推進研究所の直系の祖先にあたるものである。中国が誘導核ミサイルの実験を自国領土でおこなった直後、ニューヨーク・タイムズ紙が一九六六年十月二十八日号（「北京ロケットの大物はアメリカ仕込み」）で論評したように、「チエンの人生は、冷戦史の皮肉のひとつである」

機密情報への接近も許可され、彼は一九五〇年代アメリカのロケット研究におおいに貢献したが、マッカーシー時代の病的興奮状態のさなか、母国・中国訪問を申請したところ、でっちあげの機密漏洩罪で逮捕された。たび重なる審問と長引いた拘留ののち、彼は故国へ強制退去——その比類ない知識と経験もともに去った。彼の同僚であった多くの著名な科学者たちも断言するように、これはアメリカ史上もっとも愚劣な（そのうえ不名誉な）できごとのひとつといって過言ではない。

中国宇宙航空学会副理事長・荘逢甘（チョワン・フォンカン）によれば、チエン博士は追放ののち、「まったくのゼロの地点からロケット科学を興した……彼がいなければ、中国のテクノロジーは二十年遅れていただろう」という。これとともに、ひょっとしたら、恐ろしい対艦船ミサイル〈シルクワーム〉の配備や、衛星打ち上げロケット〈長征〉の開発も遅れていたかも……

……

この小説を書きおえて間もなく、わたしは国際宇宙航行学アカデミーからその最高の栄誉のしるし、フォン・カルマン賞を贈られることになった――それも受賞会場は北京だという！　願ってもない話であり、ことにチエン博士がいま北京市在住と聞かされたとあれば、なおさらだった。残念なことに、当地に着いてみると、博士は精密検査のため入院中とのことで、面会の許可はおりなかった。

というわけで、チエン博士の個人秘書として、わたしの署名入り『２０１０年』と『２０６１年』を博士に手わたす労をとってくれた王寿雲（ワン・ショウユン）少将に、ここで深甚な感謝の意を表したい。お返しに少将からは、彼の編集になる厖大な『銭学森著作集・一九三八‐五六年』*Collected Works of H. S. Tsien: 1938-1956*（科学出版社、北京東黄城根北街16号、一九九一年）をいただいた。これは興味尽きない本であり、航空力学の分野におけるフォン・カルマンとの共作にはじまって、ロケットや人工衛星にかんする単独研究まで、たくさんの論文が収められている。巻末の論文「熱核発電所」“Thermonuclear Power Plants”（ジェット・プロパルション誌一九五六年七月号）は、チエン博士が事実上まだＦＢＩに捕らわれの身であったころに書かれたものだが、扱われているテーマは、今日のほうがはるかに時局にふさわしい――ただし〝重水素核融合を利用した発電所〟については、今日までほとんど何の進歩も見られないようだ。

わたしが北京を発つ予定の一九九六年十月十三日の直前、老齢（八十五歳）と不自由な体にもかかわらず、チエン博士がいまだに科学研究に情熱を燃やしていると聞かされ、わたしはほっとした。博士が『２０１０年』と『２０６１年』を楽しく読み、わたしの変わらぬ敬意の表明として本書『３００１年』がとどくのを首を長くして待っておられるものと期待したい。

●36章　恐怖の部屋

一九九六年六月に開かれたコンピュータ保安にかんする一連の上院公聴会の結果、同七月十五日、クリントン大統領は大統領命令第一三〇一〇号に署名し、「重要な社会的生産基盤をコントロールする情報並びに通信機構へのコンピュータを使った攻撃（〝サイバー恐喝〟）」を取り締まることになった。これはサイバーテロリズムに対抗する特務部隊を組織しようというもので、中央情報局（ＣＩＡ）、国家安全保障局（ＮＳＡ）、その他の国防機関から代表が送りこまれる。

ピコよ、とうとう来たぞ……

上記の段落を書きおえてから、興味しんしんというべきか、未見の《インデペンデンス・デイ》が、そのフィナーレでコンピュータ・ウイルスをトロイの木馬に使っていることを知った。また聞くところでは、そのオープニングは『幼年期の終り』（一九五三年）にそっくりで、そのほかメリエスの『月世界旅行』（一九〇三年）以来このかた、ＳＦのあらゆる常套アイデアを取りこんでいるとか。

脚本家たちがここでとつぜんのオリジナリティを見せたことを祝すべきか——それとも予知的盗作という超時間犯罪をしでかした彼らをとがめるべきか、わたしはいまだに心を決めかねている。どちらにせよ、客席にいるジョン・Q・ポプコーン氏が、『ID4』の結末をわたしが拝借したと思いこんだとしても、否定するすべはないわけだ。

＊

つぎの素材は——いずれも多少の改訂を加えたうえで——本シリーズの先行する作からとった。

『2001年宇宙の旅』から——18章「小惑星帯を抜けて」、37章「実験」

『2010年宇宙の旅』から——11章「氷と真空」、36章「海底の火」、38章「うたかたの世界」

謝辞

IBMには、この本を書くために美しい小さなThinkpad 755 CDの提供を受けたことを感謝したい。長年わたしは、HAL（ハル）の名前が、IBMのアルファベットを一字ずらしただけだという——まったく根拠のない——噂に悩まされてきた。このコンピュータ時代の神話を払拭しようと、『2010年宇宙の旅』ではハルの発明者チャンドラ博士に、わざわざこれを否定させもした。ところが最近聞いた話では、この連想に迷惑するどころか、ビッグ・ブルー（IBMのニックネーム。社名のロゴの色から）は、いまやこのことを自慢しているくらいだとか。というわけで、間違いを正そうとする試みは今後放棄する。HALの〝誕生パーティ〟に集まる皆さん全員に、わたしからお祝いのことばを贈りたい。パーティは（もちろん）一九九七年三月十二日、イリノイ大学アーバナ校で開かれる予定である。

デル・レイ・ブックスの編集者シェリー・シャピロには、慚愧（ざんき）の念とともに、ありがとうをいいたい。彼女のよこした十ページにわたるあら捜しは、かたづけてみると、見違えるように最終稿のできを向上させた（さよう、わたしも編集の経験があるので、たいていの作家が考えるように、この職に従事する人びとがみんな、欲求不満の虐殺者でないことはちゃんと心得ている）。

最後に、いちばん肝心なこと——ゴール・フェイス・ホテルの会長で、古くからの友人であるシリル・ガードナーに心からの感謝を捧げる。本書の執筆にさいして、彼が快く提供してくれた豪華な（そして広々とした）私用スイートは、困難なときを乗りきる〈静かの海〉基地となった。つけ加えておけば、空想の景観には乏しかったものの、ゴール・フェイスの設備の良さは〝グラニメデ〟など足元にも及ぶものではなく、これほど快適な環境で仕事ができたことはいままでにない。

いや、それをいうなら、おおいにインスピレーションもかきたてられた。というのは、ホテル入口の銘板には、滞在を楽しんだ百人あまりの国家元首、ほか有名人の名前が刻まれているからだ。そのなかにはユーリ・ガガーリン、アポロ12号（二回めの月着陸ミッション）のクルー、その他そうそうたる舞台・映画スターの名前――グレゴリー・ペック、アレック・ギネス、ノエル・カワード、『スター・ウォーズ』のキャリー・フィッシャー……さらにはビビアン・リーとローレンス・オリビエ――この二人は『２０６１年宇宙の旅』（37章）にちらりと登場する。このなかにわたしの名前もあるのは、たいへん光栄なことである。

それにしても、ある有名ホテル――ニューヨークはチェルシー、あの天才・似非（えせ）天才の醸成所――ではじまったプロジェクトが、世界を半周した別の有名ホテルで終わるというのも、収まりのいい話である。窓の数メートル先にはモンスーンに荒れるインド洋があり、その咆哮を聞きながら、はるかな二十三丁目の喧騒を懐かしく思いだすというのも妙なものだ。

追悼　一九九六年九月十八日

哀惜の念に耐えないことながら、この謝辞にちょうど手を入れている最中、シリル・ガードナーがほんの数時間まえに死去したとの知らせを受けた。彼がわたしの賞賛のことばをすでに読み、喜んでくれていたことがせめてもの慰めである。

終わりに

「言い訳をするな、あやまるな」は、政治家、ハリウッドの大立て者、実業界の巨頭などにはたいへん有効なアドバイスだろう。だが作家は読者のことをもっと考えるのがエチケットというものだ。というわけで、お詫びをする気持は毛頭ないのだが、この〈オデッセイ〉四部作の込みいった成立ちについては、いくらか説明が必要かもしれない。

すべては一九四八年――そう、四八年だ！――のクリスマス、わたしがイギリス放送協会（BBC）主催のコンテスト応募用に書いた四千語の短篇小説にはじまる。「前哨」（短篇集『前哨』所収・ハヤカワ文庫SF）は、月面に小さなピラミッドが発見されるという話。高度な文明をもつ異星人が設置したもので、人類が宇宙を旅する種属になるのを待っていたのだ。そのレベルに達しないかぎりは未開人で、注目してもらえないという含みが背景にある。[原註1]

BBCはわたしのささやかな努力の結晶を黙殺し、作品はそのまま三年近く埋もれたのち、わずか一号で終わった10（テン）ストーリー・ファンタジー誌（一九五一年春季号）に掲載された。いつもためになる『SF百科事典』の辛口コメントによれば、この雑誌は「おもにお寒い算数によっていまも名を残している（載った小説の数は13）」という。

「前哨」はそれから十年あまり宙に迷っていたが、一九六四年の春、スタンリー・キューブリックから打診があり、「語り草になるような」（いいかえれば、前例のない）「優れたSF映画」のアイデアの持ち合わせはないかと相談を持ちかけられた。たび重なるブレインストーミング会議の過程で――いきさつは『失われた宇宙の旅２００１』に書いたが――この月面の根気強い監視者のアイデアが映画の出発点によさそうだということになった。結果的にはそれ以上の大役を果たすことになり、製作過程のどこかで、ピラミッドはいまや有名なあの黒いモノリスに変貌した。

〈オデッセイ〉シリーズを正しい遠近法のなかでとらえるなら、ひとつ心に刻んでいただきたいのは、スタンリーとわたしが、内輪で「太陽系はこうして勝ち取られた（ハウ・ザ・ソーラー・システム・ウォズ・ウォン）」（古くからある決まり文句「西部はこうして勝ち取られた」のもじり。これを原題にした映画が六三年の『西部開拓史』）と呼びならわしていたものの企画を練りはじめたとき、宇宙時代ははじまってまだ七年であり、母なる惑星から百キロメートル以上離れた人間はひとりもいなかったということである。ケネディ大統領は、アメリカがこの〝十年のうちに〟月へ行くと公言していたけれど、たいていの人びとにとって、それはまるではるかな夢のようなものであったと思う。一九六五年十二月二十九日の凍てつくような寒さのなか、サウス・ロンドン[原註2]で撮影がはじまったとき、われわれは月の表面が近くからどのように見えるかさえ知らなかった。降り立った宇宙飛行士の第一声が「助けてくれ！」であり、そのままタルカムパウダーみたいな月の微細塵のなかに呑みこまれてしまうおそれさえあったのである。総じていえば、予測はそこそこに当たっていた。唯一、われわれの側の月面風景のほうが、現実のもの——悠久の歳月に、隕石の塵により砂吹き（サンドブラスト）されたおかげで、たいへんなめらかになっている——よりずっとぎざぎざが激しく、『２００１年』がアポロ時代以前に撮られたことを露呈している。

今日ではもちろん、二〇〇一年という早い時期に、巨大宇宙ステーション、軌道をめぐるヒルトン・ホテル、木星探険などを想定してしまったのはこっけいに見える。しかし信じられない話だが、一九六〇年代には、月面の恒久基地や火星着陸は一九九〇年までには実現すると思われていたのだ！　事実、アポロ11号が飛びたった直後、ＣＢＳスタジオで時の副大統領が「さて、このつぎは火星をめざします！」と、にこにこ顔でいうのをわたしは耳にしている。

結果的には、この人物は刑務所送りにならなかっただけでも幸運だった。ベトナム、ウォーターゲートのほかに、このスキャンダルもまた、あのころの楽天的な未来図が実現しなかった理由のひとつである。

一九六八年、映画と小説の『2001年宇宙の旅』が世に出たころには、続篇が書けそうだなどとは、わたしは夢にも思わなかった。ところが一九七九年になって、木星ミッションが実現し、われわれは巨大惑星とそのとんでもない衛星ファミリーの様相を、はじめてクローズアップでながめられるようになった。

ボイジャー宇宙探査機(原註3)は、もちろん無人である。だが送られてきた映像は、それまでいちばん性能のよい望遠鏡を使っても光の点にすぎなかったものを、現実の——しかも予想もしなかった——世界としてとらえていた。絶え間なく噴火をつづけるイオの硫黄火山、おびただしい隕石落下の跡を見せるカリストの地表、異様な模様を描くガニメデの風景——まるで新しい太陽系がまるごとひとつ発見されたかのようだった。これを小説のなかで探険してみたいという誘惑は大きく、こうして『2010年宇宙の旅』が誕生した。またこれを書いたおかげで、デイビッド・ボーマンのその後——あの謎めいた部屋で目をさましたあと、何が起こったかを知る機会もできた。

一九八一年、わたしが新作を書きだしたとき、冷戦はまだ続行中であり、アメリカ＝ロシア合同ミッションを題材にするのは、自分で自分の首をしめてしまう——非難を浴びることはいうまでもなく——ような気がしたものだ。と同時に、わたしは将来の協力関係への希望を強調する意味で、小説を二人の人物に献呈した。ノーベル賞科学者アンドレイ・サハロフ(当時まだ幽閉されていた)と宇宙飛行士アレクセイ・レオーノフである。とくにレオーノフは、わたしが〝星の村〟で、宇宙船に彼の名前をつけることにしたと話すと、彼らしい威勢のよさで「それはきっといい船だ！」といったものだ。

　いまでもまだ信じられない気がするのは、一九八三年、ピーター・ハイアムズがあのすばらしい映画版を作ったとき、ボイジャーの撮った木星衛星のクローズアップ写真をじっさいに映画のなかで使えたことである（その一部は、オリジナル写真の出所、ジェット推進研究所でていねいなコンピュータ処理がなされた）。しかし野心的なガリレオ・ミッションでは、主要衛星を長期間にわたって詳しく観測する予定なので、もっと良質の映像が期待できるようになる。短いフライバイで得られるデータと比べれば、この新領域についての知識はとてつもなく広がるだろう――となれば、〈オデッセイ〉の三作めを書かずにいる言い訳はたたなくなる。

　ところが残念――木星へいたる過程で悲劇が起こった。探査機ガリレオは、一九八六年スペースシャトルから発射されることになっていた。だがチャレンジャー号の惨事によって、この筋書きはご破算になり、イオ、エウロパ、ガニメデ、カリストからの新情報は、少なくともあと十年は入手できないことになってしまったのである。

　わたしは待たないことに決めたが、ちょうどハレー彗星が太陽系の内側にふたたび帰ってきた時期（一九八五年）で、ここから絶好のテーマを思いついた。二〇六一年の再接近は、〈オデッセイ〉第三作にはうってつけのタイミングだろう。もっとも、いつ原稿をわたせるものか自信が持てないので、出版社に要求した前渡し金の額は控えめなものだった。ここに引用する『２０６１年宇宙の旅』の献辞は、悲しい記憶と結びついている。

類いまれなる編集者
ジュディ＝リン・デル・レイの思い出に捧ぐ
彼女は、この本を一ドルで買った
――だが、それだけの価値があるかは知らずに終わった

それにしても、テクノロジー（とくに宇宙開発）と政治においてすさまじい発展があった過去三十年あまり――この時代に書き継がれたＳＦ長篇四連作が、相互に整合性を持つなどというのはありえないことである。『２０６１年』の序文に書いたように、「『２０１０年宇宙の旅』が『２００１年宇宙の旅』の直接の続篇ではないように、本書も『２０１０年』からの直線的な続篇ではない。それらはすべて同じ主題の変奏曲と見なすべきであり、同じ人物や状況の多くが含まれてはいるが、必ずしも同じ宇宙のなかでおこってはいない」。別の表現分野でうなずける喩(たと)えがほしいなら、パガニーニのおなじ音符の並びに基づいて、ラフマニノフとアンドリュー・ロイド・ウェバーが何をしているか、聞き比べてごらんになるといい。

というわけで、この『3001年　終局への旅』では、前三作に含まれていた多くの要素を捨てたが、別の――より重要と信じる――要素をもっと深く掘り下げた。前作をご存じで、こうした変質にまごついてしまう読者がもしおられるとしたら、非難ごうごうの手紙がわたしのもとにとどくまえに、つぎのようなことばでそういう方々を説得できると思う。あるアメリカ大統領の愛敬ある発言のひとつを言い替えたものだ。「これは小説だよ、ばか！」

そしてまだお気づきでなければ書いておくが、これは丸ごとわたしの小説である。ジェントリー・リー（原註4）、マイクル・キュービー＝マクダウエル、故マイク・マックェイ諸氏との合作はいままでおおいに楽しんできたし――また大きすぎるプロジェクトを将来かかえたとき、一流の助っ人諸氏に救援を求めることにためらいはないが――今回のオデッセイばかりは、わたしひとりの仕事でなければならなかったのだ。

というわけで、ここにあるのはすべてわたしのことばである。というか、ほとんどはわたしのことばだ。白状しなければならないが、シルグナナサムパンサムウルシー教授（35章）の名前はコロンボの電話番号簿で見つけた。名前のいまの持主が、わたしの無断借用に異議をはさまないでくれることを願う。そのほか『大オクスフォード英語辞典』からも、いくつかことばを拝借している。そして、何ということか――嬉しくもまた驚いたことに、同辞典は、語の意味や用法をはっきりさせるために、わたしの著作から六十六もの文章を引用していたのだ！

親愛なる『ＯＥＤ』よ、もし本書に有益な文例が見つかったら、またごひいきに。

このあとがきのなかに、控えめな咳払いがいくたびか（最新集計では、約十回）まぎれこんだことをお詫びしたい。しかし、そのひとつひとつが指し示す用件はまことに当を得たものなので、削るわけにはいかなかった。

最後に、仏教、キリスト教、ヒンズー教、ユダヤ教、イスラム教の信者であるわたしの友人諸氏に、これだけは伝えておきたい。すなわち、運命があなたに与えた宗教が、あなたの心の平安に役立っていることを（また西欧医学がいましぶしぶ認めつつあるように、肉体的健康にもなかなかいいらしいが）、わたしは心から嬉しく思っていると。

もしかしたら、正気ではなく幸せでいるほうが、不幸せで正気でいるよりはいいのかもしれない。だが何よりもいいのは、正気で幸せであることだ。

われわれの子孫がそのゴールを達成できるかは、未来の最大の課題となるだろう。じっさい、われわれに未来があるか否かは、その一点にかかっているはずである。

アーサー・Ｃ・クラーク
スリランカ、コロンボ
一九九六年九月十九日

原註1

太陽系中に異星人の遺物をさがす試みは、まっとうな学問分野となるべきである（〝地球外考古学〟とでも名づけるか？）。不幸なことに、この分野の信用を失墜させているのは、こうした証拠はすでに見つかり、故意にNASAによって隠蔽されているという主張である。こんなたわごとを信じる人間がいるということが信じがたい。むしろ宇宙局がETのにせ遺物をわざとこしらえて、予算不足の解決をはかるという図のほうが、もっとありそうなことだ！（応答ねがいます、どうぞ、NASA局長……）

原註2

場所はシェパートン。H・G・ウエルズの傑作『宇宙戦争』の最大の山場において、火星人に破壊された地域である。

原註3

これは〝投石器（スリングショット）〟というか〝重力援用〟運動をおこなって、木星すれすれのところを飛んだ――小説版『2001年』でディスカバリー号がとった行動とまさに同一のものである。

原註4

思いもよらぬ偶然で、ジェントリーはガリレオおよびバイキング計画の技術主任だった（『宇宙のランデヴー2』の序文を見よ）。ガリレオのアンテナが開かなかったのは彼の責任ではない……
……

訳者あとがき

遂に……とうとう……いまから三十年まえ、『2001年宇宙の旅』よりはじまった長い旅が、ここに終局を迎える。

あるいは――四百万年まえ、アフリカと後に名づけられる大陸の一角ではじまった驚異と神秘にみちたオデッセイが……といったほうがいいだろうか。

何にしても『スター・ウォーズ』『未知との遭遇』『エイリアン』……現代SF映画の流れに決定的な影響を与えた『2001年』の数々の名場面は、この時代に生きる人びとの心のなかで原風景のようにさえなっている。

ちょっとおさらいをしておこう。

まっ黒い直立した石板、モノリス――アフリカの荒野にこつぜんと現われたこの〝物体〟は、猿人たちの心に人間的な意識の火をともす。骨を武器に使うことによって、猿から人への進化がはじまり、空に投げ上げられた骨が、一瞬のうちに宇宙船へと変わる有名なショット……

そして二十一世紀。月の地中から発掘されたおなじ形のモノリス……木星をめざす宇宙船ディスカバリー号の旅……コンピュータＨＡＬ（愛称ハル）の反乱とフランク・プールの死……

ただひとり生き残ったデイブ・ボーマンは、木星の近傍で、はるかに巨大な第三のモノリスと遭遇――スター・チャイルドへと変貌する……

映画『２００１年宇宙の旅』はそのように終わった。だが、あとには大きな謎がいくつも残された。スター・チャイルドとは何者なのか。モノリスとは何だったのか？　その出現は、けっきょく人類に幸福をもたらしたのか、それとも……？

おなじく映画になった『２０１０年』では、ボーマンが超存在となって帰ってくる。モノリスは無数に増殖し、木星は爆発し、第二の太陽ルシファーとなって輝く。と同時に、木星の衛星エウロパは、モノリスからのメッセージによって禁断の地とされる……

そしていま、三十一世紀――いくたびかの危機をのりこえ、人類はかつてない繁栄のなかにある。だがこの千年、モノリスは圧倒的な存在感によって、太陽系全体に重苦しい影を投げかけている。そんな折、この大いなる平和と停滞（？）のなかに、まったく予想外の新しい因子がひとつまぎれこんでくる。海王星の軌道の外側で、宇宙をただよっていた死体が回収されるのだ。死体は千年の氷結状態からよみがえり……

物語はここからはじまる。

さて『3001年　終局への旅』はSF界の巨匠アーサー・C・クラークの最新作であり、はじめにもふれたように、一九六八年、映画と小説でスタートした壮大な〈オデッセイ〉四連作の完結篇にあたるものである。アメリカでは一九九七年三月十二日、ハルの〝誕生パーティ〟に合わせて発売され、以後数カ月にわたってベストセラー・リストの上位を占めつづけた（ただし小説版では、ハルの誕生日は一九九七年一月十二日で、映画の一九九二年一月十二日とはすこしずれている。このあたりの食いちがいから生じる新しいストーリー展開が、実をいうと、この〈オデッセイ〉シリーズの最大の特徴であって、本書も例外ではない。あとがきの冒頭で、あえてストーリーのおさらいをしたくなったのは、そういう事情が背景にあるからだ）。

いま人気上昇中の若手ハードSF作家スティーヴン・バクスターは、いちばん尊敬するSF作家として、ためらいなくクラークの名前を挙げているが、その彼がイギリスのSFX誌一九九七年四月号にクラークのインタビューを載せている。

バクスターがクラーク作品に学ぼうとするのは、テクノロジー面でのたくましい予見性、そして〝点滴注射〟のように読者にたくみに送りこまれる科学情報であり、これは『3001年』にもたっぷり盛りこまれている。

「わたしはいかにもありそうな未来を構築するのが好きなんだ」とクラークはいう。「ジュディ＝リン・デル・レイと交わした最初の契約では、時代は二〇〇〇一年のはずだった。考えてみれば、三〇〇一年のことだって誰も想像がつかないんだ――過去千年の時代の変化を見ればいい。だが、多少のリアルさは出せたと思う。生物学的にはそんなに大きく変化はしないだろう――やる気ならできるだろうがね、もちろん！」

しかしこうした謙遜のことばとはうらはらに読者が気がつくのは、クラークの技術的な洞察が、現実世界にじっさい大きなインパクトを与えていることである。クラークを真剣に読んでいる科学者や技術者の数は、たいへん多いようだとバクスターはいう。クラークが今日の通信衛星の発明者だということは、いまではあまりにも有名だが、それ以外にも彼のコンセプトが、現実の宇宙開発に取り入れられた例は少なくない。

最初の長篇『宇宙への序曲』に描かれた原子力ロケットの構想は、六〇年代にはNERVA計画として、アメリカで実験がおこなわれた。また電磁加速式マス・ドライバーのコンセプトは、月面から地球に向けて資源を投げ上げたり、小惑星の軌道を変えたりするのに有効だとしていま注目を集めているが、これもクラークが一九五〇年、イギリス惑星間協会の雑誌に発表した論文が基になっている。早くから邦訳が出ていたノンフィクション『宇宙の征服』（一九五一年）では、無人機による火星探査が描かれるが、十三年後、マリナー宇宙船がこれをほぼクラークの予見どおりに実行した。一九七三年の『宇宙のランデヴー』では、異常接近する小惑星から地球を守る〝スペースガード〟計画が論じられる。これもまた四半世紀が過ぎたいま、科学者や技術者のあいだで真剣に検討されるようになった。

バクスターによれば、「同時代のすべてのSF作家のなかで、クラークはどうやら未来予見の〝的中率〟がいちばん高い作家といえそうである」

そういえば、朝日新聞一九九七年四月十日付けの夕刊に、こんな記事――

【ワシントン9日＝共同】米航空宇宙局（NASA）は九日、木星探査機ガリレオが撮影した木星の衛星「エウロパ」の鮮明な最接近画像の分析から、衛星には生命をはぐくむ温かい水が存在し「生命体が存在する可能性が高い」と発表した……

しかし訳者にとってひとつ腑に落ちないのは、このニュースがすこしも〝ニュース〟のように聞こえないことだ。というのは、一九八二年――いまから十数年まえ！――クラークが『2010年宇宙の旅』で、エウロパに存在する水とそこに住む生物のことをきわめてリアルに描写しているからである（そのエピソードは、本書の27章「氷と真空」のところでも読むことができる）。するとNASAは、この歳月いったい何をしていたのか……？

おなじインタビューでバクスターは、クラークに当然（?）の疑問をぶつけている——『4001年』というものはないだろうか？

クラークはこう答える。「もちろん物語というものは終わることがない。だが、わたしも来年は八十だからね……」

しかしバクスターとおなじように、訳者としても、クラークのこの発言には多少の疑問を抱かないではない。締めくくりのところにさりげなく出てくる「神」ということばに、クラークの万感の思いを感じずにはいられないからだ。英語では小文字だけのgod——このことばは何を指すものなのか。それを考えるだけで、この小説の奥行きは無限に広がっていきそうな予感がする。〈オデッセイ〉四連作はひとまずこれで幕を閉じるにしても、クラークが作家活動をつづけていくかぎり、まさに〝終わることのない物語〟が書き継がれていくだろう。

付記。クラーク・ファン・ナンバー1を自認するスティーヴン・バクスターは、このたびとうとう尊敬するクラークとの合作長篇を完成させた。『過ぎ去りし日々の光』（二〇〇〇年）で、邦訳もいちはやく刊行された。T・L・シャーレッドの一九四七年の有名な中篇「努力」をヒントにした雄大な時間ものの長篇で評判もすこぶるよい。

＊

訳語などについて、すこし補足しておくと——

この〈オデッセイ〉シリーズは、第一作『2001年宇宙の旅』がそもそも映画とのタイアップ作品であったため、読者へのなじみやすさを考えて、カタカナ表記の〝ヴ〟は使わない方針をとってきた。だから、ディスカバリー号であり、デイビッド（デイブ）・ボーマンであったわけだが、本書では必ずしもその法則を押し通すことができなかった。〝宇宙船チエン号の町〟を意味するチエンヴィルなどがそうで、訳者の思いこみかもしれないが、やはりチエンビルは抵抗があった。ほかにも二、三、それぞれの理由でヴを使った語がある。

また『2010年』にはじめて登場し、『2061年』でもそのまま踏襲された〝チェン号〟は、本書ではチエン号とし、チエンヴィルもそれに準じた。巻末の「典拠と謝辞」でクラーク自身が書いているように、チエン号の名前は中国人ロケット科学者の銭学森に由来するが、小学館『最新中国情報辞典』（一九八五年）で中国語のカタカナ表記を調べてみると、〝チエン〟と〝チェン〟では、あてはまる漢字がまるっきり違うからである。チエンと表記する漢字には、銭のほか、尖、剪、見、千、欠などがあり（これらがまたそれぞれ微妙に発音が違う）、チェンには、陳、針、震などがあるらしい。まあ、些細なことだが、お気づきになる方もきっといると思うので。

二、三の専門語については、かつての〈一の日会〉のSF仲間、西城恵一氏と芹澤照生氏のご教示を得た。しかし訳文の責任は、いうまでもないことだが、すべて訳者個人にある。

（一九九七年六月執筆のハードカバー版あとがきを加筆訂正しました）

本書は、一九九七年七月に早川書房より単行本として
刊行された作品を文庫化したものです。

宇宙への序曲〈新訳版〉

Prelude to Space

アーサー・C・クラーク

中村　融　訳

人類は大いなる一歩を踏み出そうとしていた。遙かなる大地オーストラリアの基地から、宇宙船〈プロメテウス〉号が月に向けて発射されるのだ。この巨大プロジェクトには世界中から最先端の科学者が参画し英知が結集された！　アポロ計画に先行して月面着陸ミッションを描いた、巨匠の記念すべき第一長篇・新訳版

ハヤカワ文庫

ブラックアウト（上・下）

Blackout

コニー・ウィリス
大森 望訳

〈ヒューゴー賞／ネビュラ賞／ローカス賞受賞〉二〇六〇年、オックスフォード大学の史学生三人は、第二次大戦の大空襲で灯火管制（ブラックアウト）下にあるロンドンの現地調査に送りだされた。ところが、現地に到着した三人はそれぞれ思いもよらぬ事態にまきこまれてしまう……。主要ＳＦ賞を総なめにした大作

ハヤカワ文庫

オール・クリア（上・下）

All Clear

コニー・ウィリス

大森　望訳

〔ヒューゴー賞／ネビュラ賞／ローカス賞受賞〕二〇六〇年から、第二次大戦中英国での現地調査に送り出されたオックスフォード大学の史学生、マイク、ポリー、アイリーンの三人は、大空襲下のロンドンで奇跡的に再会を果たし、未来へ戻る方法を探すが……。『ブラックアウト』とともに主要ＳＦ賞を独占した大作

ハヤカワ文庫

宇宙（そら）へ（上・下）

The Calculating Stars

メアリ・ロビネット・コワル
酒井昭伸訳

〔ヒューゴー賞／ネビュラ賞／ローカス賞受賞〕一九五二年、巨大隕石によりアメリカ東海岸が壊滅する。数学の天才でパイロットのエルマは、夫とともにこの厄災を生き延びるが、環境の激変のため人類が宇宙開発に乗りだすことになって——星々を目指す女性パイロットを描く改変歴史／宇宙開発ＳＦ　解説／堺三保

フィリップ・K・ディック

アンドロイドは電気羊の夢を見るか？
浅倉久志訳
火星から逃亡したアンドロイド狩りがはじまった……映画『ブレードランナー』の原作。

偶然世界
小尾芙佐訳
くじ引きで選ばれる九惑星系の最高権力者をめぐる恐るべき陰謀を描く、著者の第一長篇

ユービック
浅倉久志訳
予知超能力者狩りのため月に結集した反予知能力者たちを待ちうけていた時間退行とは？

〈ヒューゴー賞受賞〉
高い城の男
浅倉久志訳
日独が勝利した第二次世界大戦後、現実とは逆の世界を描く小説が密かに読まれていた！

〈キャンベル記念賞受賞〉
流れよわが涙、と警官は言った
友枝康子訳
ある朝を境に〝無名の人〟になっていたスーパースター、タヴァナーのたどる悪夢の旅。

ハヤカワ文庫

グレッグ・イーガン

〈キャンベル記念賞受賞〉
順列都市〔上〕〔下〕
山岸 真訳
並行世界に作られた仮想都市を襲う危機……電脳空間の驚異と無限の可能性を描いた長篇

〈ヒューゴー賞／ローカス賞受賞〉
祈りの海
山岸 真編・訳
仮想環境における意識から、異様な未来までヴァラエティにとむ十一篇を収録した傑作集

〈ローカス賞受賞〉
しあわせの理由
山岸 真編・訳
人工的に感情を操作する意味を問う表題作のほか、現代SFの最先端をいく傑作九篇収録

ディアスポラ
山岸 真訳
遠未来、ソフトウェア化された人類は、銀河の危機にさいして壮大な計画をもくろむが⁉

ひとりっ子
山岸 真編・訳
ナノテク、量子論など最先端の科学理論を用い、論理を極限まで突き詰めた作品群を収録

訳者略歴　1942年生，英米文学翻訳家　訳書『アインシュタイン交点』『ノヴァ』ディレイニー，『2001年宇宙の旅』クラーク，『猫のゆりかご』ヴォネガット・ジュニア，『ノパルガース』ヴァンス（以上早川書房刊）他多数

HM=Hayakawa Mystery
SF=Science Fiction
JA=Japanese Author
NV=Novel
NF=Nonfiction
FT=Fantasy

3001年　終局への旅

〈SF1347〉

二〇〇一年三月十五日　発行
二〇二四年八月二十五日　十二刷
（定価はカバーに表示してあります）

著者　アーサー・C・クラーク
訳者　伊藤典夫
発行者　早川　浩
発行所　株式会社　早川書房
郵便番号　一〇一 - 〇〇四六
東京都千代田区神田多町二ノ二
電話　〇三 - 三二五二 - 三一一一
振替　〇〇一六〇 - 三 - 四七七九九
https://www.hayakawa-online.co.jp
乱丁・落丁本は小社制作部宛お送り下さい。
送料小社負担にてお取りかえいたします。

印刷・信毎書籍印刷株式会社　製本・株式会社明光社
Printed and bound in Japan
ISBN978-4-15-011347-6 C0197

本書は活字が大きく読みやすい〈トールサイズ〉です。